Salut Bonhomme

Couverture :
Dessin de GITE.
Maquette de François Royer.

LES EDITIONS QUINZE
3465 Côte-des-Neiges, suite 50, Montréal, Québec
H3H 1T7
Tél. : (514) 937-6311

Distributeur exclusif pour le Canada :
Les Nouvelles Messageries internationales du Livre Inc.
4435 boulevard des Grandes-Prairies
Saint-Léonard, Québec
H1R 3N4
Tél. : (514) 327-6900

Dépôt légal : 1er trimestre 1978, Bibliothèque nationale du Québec
ISBN : 0-88565-158-8

Papartchu Dropaôtt

Salut Bonhomme

Quinze

Du même auteur, chez le même éditeur :

L'HISTOIRE LOUCHE DE LA CUILLER
A POTAGE

DU PAIN ...ET DES OEUFS

“...quelques arpents de neige.”

Voltaire*

* “... et ne manquait pas, tous les quinze jours, au sermon, de raconter l’agonie de Voltaire, lequel mourut en dévorant ses excréments, comme chacun sait.” Flaubert, *Madame Bovary*.

“Mais Flaubert était sûrement une tapette...” Montherlant, *Pitié pour les femmes*.

“Quand Montherlant parle de Flaubert, il se projette !” Papartchu Dropaôtt, *Salut, Bonhomme !*

Mes amis, c’est là ce qu’on appelle “l’estime mutuelle que se portent les écrivains”.

AVANT-PROPOS

Depuis environ deux ans, je reçois nombre de lettres d'admirateurs qui déclarent en substance :

"Cher Dropaôtt,

Tes livres me font mourir de rire et les brillantes allégories que ton humour encadre me donnent l'occasion de réfléchir sérieusement sur la condition humaine et toutes ses vicissitudes. Malheureusement, bien souvent, je ne sais pas *quand* il faut rire ni *comment* il faut rire. Je crains toujours de m'esclaffer à contretemps (et c est très gênant, tu sais !) ou encore de ne pas employer la bonne sorte de rire. Te serait-il possible de me donner un cours d'humour dans ton prochain bouquin ? Je crois ne pas être le seul à me trouver dans cette embarrassante situation.

"Enfin, cher Dropaôtt, sache que tu es notre héros. Ah ! si les cinéastes québécois pouvaient, pendant un moment, oublier leur cinéma d'auteur (qui, à quelques exceptions près, est ennuyeux à mourir), nous aurions peut-être enfin l'occasion de t'admirer au grand écran !...''

Cette missive, que j'ai tirée tout à fait au hasard parmi mon volumineux courrier (si, si !), exprime un souhait général que je veux m'empresser d'exaucer.

Ainsi, afin de satisfaire votre insatiable curiosité intellectuelle, j'ai parsemé les premières pages de cette aventure de chiffres qui, tout en vous signalant qu'il faut rire à tel ou tel endroit, vous indiqueront également le genre de rire que vous devrez utiliser.

Je donne ci-après une liste sommaire des principales manifestations physiologiques de la gaieté (pour ne pas avoir à y revenir sans cesse, je vous recommande de l'apprendre par coeur) :

1. Le rire à gorge déployée (surtout pour les demoiselles (2)).
2. Le rire gras (pour les plaisanteries grivoises).
3. Le ricanement (petit rire habituellement réservé aux jeux de mots, calembours, pointes d'ironie, etc.).
4. Le rire à retardement (dit "rire intellectuel" — lorsque l'esprit doit fournir un effort préalablement à la dilatation de la rate).
5. Le sourire (dit "rire du bout des lèvres" — réservé aux plaisanteries très subtiles ou à l'humour à peine effleuré).

Que cette nomenclature ne vous effraie pas outre mesure ! Il peut arriver que les numéros

4 et 5, ainsi que les numéros 1 et 2, se confondent. Par conséquent, si, à certains endroits, vous émettez un rire 4 au lieu d'un rire 5, ou encore un rire 1 au lieu d'un rire 2, ne vous torturez pas trop le cerveau : vous êtes déjà sur la bonne voie et je suis assuré qu'avec un peu d'exercice et de persévérance, vous parviendrez à faire coïncider vos rires avec les chiffres indiqués.

Ceci dit, allons-y !

NOTE LIMINAIRE :

Conformément aux dispositions de la convention collective signée entre l'Auteur et les Citations-de-début-de-chapitre, ci-après nommés respectivement le *Patron* et les *Employés*, le Patron accordera aux Employés 200 pages de vacances à tous les trois bouquins (art. 14, par. 2).

CHAPITRE UN

Où madame veuve Artémise Allenchère (3) est aux prises avec son fils aîné Yvan qui, nul n'est besoin de le dire, n'est pas le cadet de ses soucis (3).

Trois heures de labeur acharné pour déblayer l'entrée de ma cabane au Canada qui, par suite de la tempête de la veille, s'était couverte d'une épaisse couche de neige... Ceux qui m'ont déjà rendu visite se demandent pourquoi j'ai mis tant de temps à déneiger une surface qui ne fait pas plus de trois mètres carrés. Faut que je vous explique que j'ai dû en outre appeler l'ambulance pour trois obèses de mes voisins (des Québécois pure graisse (3)) dont la forme physique était à ce point remarquable qu'ils firent un infarctus dès qu'ils soulevèrent une pelletée de neige (3). J'ajoute à l'hécatombe un quatrième lascar qui, lui, n'éprouva aucun malaise cardiaque, assis comme il était sur son petit chasse-neige. Pourtant, c'est quand il a voulu remiser le véhicule dans son garage que ses problèmes ont commencé : en faisant remonter la porte coulissante, il s'est donné un tour de reins; il s'est alors affaissé face contre terre et la porte, tout comme une guillotine, lui est retombée sur le cou. Caput, le bonhomme au chasse-neige (5) ! La morale de cette histoire, c'est "mieux vaut faire un infarctus, une pelle à la main, que perdre la tête à cause d'un chasse-neige". Avis aux maniaques du progrès (4) !

Tout ça pour vous dire que, lorsque je suis rentré chez moi, je n'avais qu'une idée en tête : passer mes hivers en Floride pour m'éloigner de ces voisins emmerdants et ce, malgré la maxime qui dit : "Pas de vacances pour les héros !" Malheureusement, j'ai déjà tenté l'expérience et elle s'est avérée plutôt décevante. En effet, en arrivant à Miami, je me suis rendu compte avec horreur que toute ma rue occupait le même hôtel que moi (d'ailleurs, vous connaissez le sobriquet que les Floridiens donnent aux touristes québécois : *Attila's gang* qu'ils nous appellent, en se référant sans doute à notre façon de voyager "en famille" (3)). Quoi qu'il en soit, mes trois jours de vacances au pays de l'oncle Sam se sont vite transformés en cauchemar car j'ai dû faire admettre six voisins à l'hosto : cinq d'entre eux souffraient d'insolation au troisième degré et le sixième avait été gentiment mordu par un tropidonote (le nono était allé faire du camping dans les Everglades ! (1)).

Depuis ce temps, je ne quitte plus le Québec pendant l'hiver et je secours les cardiaques (5).

Cette première gression étant faite (je compte vous en présenter au moins dix au cours de l'aventure (4)), j'entrai à la maison, je jetai un coup d'oeil furtif sur le portrait de bibi qui orne le vestibule et qui m'a été envoyé par mon pote Picasso, quelques mois avant sa mort (5), et, après m'être mis à l'aise (non, non ! mon p'tit Pierrot, Nicole est en voyage (2) !), je me dis qu'il serait tout de même marrant de recevoir un appel téléphonique anonyme (obscène, de préférence (2) !).

Eh ben ! croyez-moi si vous voulez, mais je n'avais pas terminé la phrase précédente que le téléphone se mit à sonner (1). Franchement, les copains, le Grand Manitou m'a sûrement doté d'un sixième sens. J'accourus à l'appareil.

— Allo ! fis-je comme ça, certain que ce préambule fort cordial mettrait tout de suite mon interlocuteur à l'aise (5).

— Monsieur, c'est horrible, horrible ! Je ne sais pas quoi faire...

La voix, chevrotante au possible, me donna à penser que j'avais affaire à une dame d'un âge certain (peut-être bien aussi à une jeune donzelle décrépite (1)).

— A qui voulez-vous parler, madame ?

— Je ne sais pas... à n'importe qui... C'est mon fils Yvan qui...

Les cloches de la Destinée résonnèrent dans ma tête : cette femme avait, dans son énervement, composé un numéro, n'importe lequel, afin d'obtenir de l'aide, et le Destin avait guidé ses doigts (faites marcher vos doigts !) vers le plus grand enquêteur au monde (ceci dit sans fausse modestie (5)). C'est pas extraordinaire ? Même le gars-des-vues n'en revient pas (5) !

— Madame, interrompis-je, reprenez votre sang-froid et racontez-moi tout !

Elle fit silence et prit une très profonde inspiration. Le vent avant l'orage : elle s'apprêtait à me défiler d'une traite tous ses problèmes familiaux. Je m'agrippai au mur pour ne pas être emporté (5).

— C'est mon fils, monsieur, qui m'a emprunté tout mon argent. Il s'est aussi saisi de mon livret de banque... Je suis une pauvre veuve, vous comprenez ? Mon mari ne m'a laissé qu'une maigre pension... Je ne sais pas quoi faire !

— Mais, chère madame, vous me dites que votre fils vous a *emprunté* votre argent. C'est donc que vous étiez consentante !

— Vous ne comprenez rien à rien...

Une lueur dans mon cerveau... Il s'agissait du type de femme qui adore tellement son enfant qu'elle lui pardonne à l'avance la moindre incartade, étant même disposée à altérer les faits pour ne pas avoir à reconnaître la vérité. Cette catégorie de mères est, malgré ses dehors inoffensifs, l'une des plus dangereuses qui soient. Alors, si vous avez une maman comme celle-là, allez au plus vite la reporter au magasin et échangez-la contre une pin-up sur qui vous pourrez en toute quiétude passer votre complexe d'Oedipe (2) !

— Mais oui, madame, je comprends parfaitement, insistai-je. Mes lecteurs aussi, d'ailleurs, puisque je viens de leur expliquer votre cas (5).

— Vos lecteurs ?

— Savez-vous à qui vous parlez ? m'enquis-je alors, imposant et tout frétillant à l'idée de l'assommante révélation que j'allais lui faire.

— Non ! et je ne tiens pas à le savoir. Aidez-moi, c'est tout ce que je vous demande.

Là, par exemple, je sentis s'évanouir en moi toute la sympathie que j'éprouvais pour elle. Tout de même ! Elle aurait pu me laisser glisser mon nom dans la conversation, comme ça, mine de rien (j'allais dire "innocemment" (5)). Enfin, que voulez-vous ? Le monde est peuplé d'égoïstes et c'est pas demain que le ti-Jésus va revenir se faire crucifier pour une bande d'avortons comme nous autres (5).

— Madame, repris-je, vous parlez à Papartchu Dropaôtt, le héros national du Québec. C'est sûrement le Destin qui vous a permis d'entrer en contact avec moi... et si c'est pas le Destin, c'est une téléphoniste rusée de la compagnie de téléphone (5). Dois-je vous dire, tout d'abord, chère madame, que je ne m'occupe que d'affaires de haute importance, à caractère politique pour la plupart, et que...

— Monsieur, pouvez-vous m'aider ? Je suis au désespoir... Je ne suis qu'une pauvre veuve démunie... Mon fils que j'adore n'en est pas moins un ingrat... Après tous les sacrifices que j'ai faits pour lui...

C'est ce qu'on appelle un dialogue de sourds.

— Ecoutez, madame ! Par bonheur, je n'ai présentement aucune enquête sur les bras. Je suis donc disposé à faire une entorse à mes principes ("T'es pas un peu con ? que me crient mes principes. Dis, tu vas pas nous mettre dans le plâtre pour quarante jours, hein ? — Idiots ! que je leur réponds. J'ai parlé d' "entorse", pas de "fracture". D'ici deux ou trois jours, vous serez de nouveau sur pied. — Ah bon ! qu'ils reprennent. On aime mieux ça !" (5)).

— A qui parlez-vous ? s'enquit la dame.

— A mes principes (5).

— Vous n'auriez pas le cerveau un peu dérangé ?

— Ecoutez ! Voulez-vous que je vous aide ou non ?

— Mais oui !

— Alors, ne m'insultez pas ! Je disais donc que je suis tout disposé à vous venir en aide. Je suis même assuré que je serai en mesure de régler vos problèmes en moins de...

Avez-vous remarqué une chose (à part, bien sûr, le fait que je me sois interrompu moi-même en pleine tirade, ce qui est très impoli (5)) ? C'est qu'à chaque fois que je commence un bouquin, je n'ai à peu près rien à foutre et que, tout à coup, il me tombe une histoire sur le dos. La solution pour être tranquille, ce serait de ne plus écrire de livres. Vous n'êtes pas de mon avis ? (celle-là, elle vaut bien un 4).

Ici se termine le cours de rire, gracieusement offert par bibi. J'espère que vous avez bien retenu la leçon. Il ne vous reste plus qu'à vous exercer en relisant trois cents fois les premières pages. Vous pouvez même, si vous le désirez, mettre à l'épreuve vos nouvelles acquisitions en essayant de "chiffrer" tous les gags du livre. Je conférerai un brevet de "maître ès humour" à ceux d'entre vous qui me retourneront le bouquin dûment chiffré et qui n'auront pas fait plus de trois erreurs.

Ceci dit, revenons à notre veuve éplorée.

— Madame, donnez-moi votre adresse et j'accours... Au fait, comment vous appelez-vous ?

— Mon nom ? Madame veuve Artémise Allenchère (étonnant ! c'est le même nom que la bonne femme mentionnée dans le titre du chapitre — quelle coïncidence !). J'habite...

Je pris l'adresse en note et je raccrochai.

Après avoir remis mon manteau, je sortis et je me précipitai vers ma voiture.

— Chauffeur, conduisez-moi à telle adresse !

Attendez un instant ! Y a quelque chose qui ne va pas. Je me précipite vers ma voiture et je dis : “Chauffeur, conduisez-moi à telle adresse !”

Ah oui ! c’est que ma plume a sauté un paragraphe. Faudra que j’en achète une autre... ce qui me rappelle que je dois aussi me procurer un autre saphir pour mon tourne-disque. Hier soir, j’étais en train d’écouter *le Carnaval des Animaux* de Saint-Saëns et je suis soudain passé du coq à l’âne.

Enfin, pour ne pas m’éterniser sur mes petits ennuis domestiques, je m’empresse de rétablir le paragraphe manquant. J’en étais donc à : Je me précipitai vers ma voiture.

Par malheur, impossible de la faire démarrer. Lorsque j’y parvins, je ne pus la faire bouger d’un centimètre, car les roues étaient enlisées dans la neige. Trois voisins (qui n’étaient pas encore rendus à l’hosto) se portèrent à mon secours, mais en vain. D’ailleurs, après deux minutes d’efforts, ils s’écroulèrent, terrassés eux aussi par une crise cardiaque. J’appelai d’autres ambulances, je fis un bref rapport de la situation à Participaction, dont je suis le représentant de quartier, et je hélai un taxi qui, par hasard, passait par là. Le chauffeur ne sortit même pas pour m’ouvrir la porte, car il ne quittait son véhicule qu’après le boulot (avec l’aide d’une grue). En outre, je me vis dans l’obligation de prendre place à l’arrière : les cent cinquante kilos de graisse du bonhomme s’étalaient sur toute la banquette avant. C'est alors que je lançai :

— Chauffeur, conduisez-moi à telle adresse !

Le type me regarda par le rétroviseur (ses muscles du cou étaient complètement atrophiés) et me dit :

— Telle adresse, telle adresse... Où ça se trouve, ça ?

— 4560, Saint-Vallier !

— Ah ! fallait le dire, mon petit monsieur !

En moins de temps qu'il n'en faut pour crier "feux rouges", "sens uniques", "rues fermées", "avenues en réparation", "détours", "circulation ralentie à cause du déblaiement de la neige" et "piétons écrasés", nous parvînmes chez madame Allenchère, un petit immeuble d'appartements dans l'Est de la Métropole. Je réglai la marche (on ne peut qualifier ça de "course") et je me ruai vers la porte d'entrée de l'édifice.

Madame Allenchère m'attendait en pleurant et en grinçant des dents dans son petit logement coquet (j'allais dire "coquerelle"). Elle m'indiqua un fauteuil usé par l'âge et les mites et m'offrit une bière que je ne refusai point. Avant qu'elle ne revînt au salon et que je *pusse* vous la présenter en bonne et due forme, je me laissai gagner par mes tendances sadiques et j'épinglai quelques punaises qui, ayant senti la chair fraîche, s'apprêtaient à envahir mon humble personne. Puis, ce fut au tour du chien de venir secouer ses poux devant moi. A ce qu'il me sembla, il s'agissait d'un épagneul King-Charles mais, en l'examinant de plus près, on eût plutôt dit un Prince-de-Gale. Poursuivant mon inspection de la pièce, j'aperçus un aquarium à l'eau jaune où surnageait un poisson sans grand avenir que sa maîtresse avait gentiment appelé Charles, probablement en souvenir du Prince-of-Whales.

En voyant toute cette saleté, je me dis : "Mais pourtant, merde ! propreté n'est pas vice !"

Madame Allenchère revint avec une bouteille décapsulée et un verre. Je choisis de boire au goulot (je sais, c'est pas propre, propre, mais si vous aviez vu le verre...).

La digne femme s'assit devant moi et, tandis qu'elle me parlait en larmoyant de son cher fils, j'en profitai pour la détailler. Elle portait un chignon genre "nid de guêpes" qu'elle n'avait pas dû défaire depuis au moins vingt ans, car on y devinait à tous moments des mouvements imperceptibles : toute une population menait là-dedans une activité industrieuse, et je n'osai pas me renseigner sur la finalité existentielle de ces parasites. Quoi qu'il en soit, madame Allenchère avait trop de choses en tête pour se préoccuper de ses locataires.

Quant au visage de la vieille, je vous dirais bien qu'il ressemblait à s'y méprendre à celui du chien, mais vous vous empresseriez alors de me reprocher d'avoir plagié Camus. Je suis donc obligé d'inventer autre chose. Son visage, son visage, attendez que je réfléchisse. Eh bien ! son visage me faisait penser à une dune de sable du Sahara, tout sillonné qu'il était de rides onduleuses. Par endroits, dans ce désert craquelé par la sécheresse, des verrues poilues surgissaient comme des oasis bordées de palmiers (et je vous jure que ce n'était pas un mirage !). Le nez, appendice long et mou, pendait au-dessus de la lèvre supérieure et je suis assuré que, si Artémise avait voulu me faire rigoler, elle aurait pu, d'une pression du doigt, lui faire toucher son menton. Parmi cette horreur, les yeux, d'une splendeur extraordinaire, paraissaient appartenir à un autre visage, comme si la nature, s'étant férocement amusée à déformer les traits, avait subitement voulu racheter son incroyable impertinence. Des yeux à faire pleurer un crocodile... ou toute autre bébitte qui vous semble insensible.

Pour ce qui est du reste, la veuve ne laissait pas indifférent. Sur une charpente ossue, rachitique, étaient sertis des diamants rondelets (comme dirait le pote Ronsard). Et ces jambes !!! Praxitèle n'eût pas pu en modeler de plus parfaites. Malheureusement, ces beautés avaient trop couru à la ruine car, tout comme le marbre qui se craquèle sous l'effet des rayons lunaires, la chair se couvre de varices lorsqu'on l'expose aux horreurs de la maternité (vous viendrez dire après que j'ai un style moche !).

Je retins enfin de cette chère Artémise sa voix, mélange d'Edith Piaf et de la mère de Dumbo. C'était une voix venue du fond des âges, quelque chose comme Périclès parlant à Radio-Athènes ou encore la Femme de Cro-Magnon crânant sur les ondes de quelque station *underground*. Les accents caverneux qui sortaient de cette bouche menue me rappelaient même ce pharaon couvert de bandelettes, dont la phrase célèbre retentit encore dans les couloirs de la Grande Pyramide : "Momie faire !" s'était-il écrié lorsqu'il se vit réduit à l'immobilité pour l'éternité.

Après une description aussi brillante, j'exige d'être admis sur-le-champ à l'Académie française (et si y a pas de fauteuil libre, qu'il y ait un bonze qui s'offre à crever d'ici quinze jours !).

Cette revendication faite, je revins au récit nébuleux d'Artémise.

— ...Mon fils Yvan a vingt-deux ans et presque plus de dents. Il fréquente des voyous, mais ce sont eux qui l'ont entraîné. Mon petit chéri ne ferait pas de mal à une mouche, vous savez ! Ah ! quel dommage que mon défunt mari soit parti si vite ! Il aurait pu lui inculquer l'honnêteté, le savoir-vivre... Moi, vous comprenez, je suis trop faible...

— A quelle heure s'est produit le vol ? interrompis-je.

— Eh bien ! il m'a emprunté l'argent vers huit heures, ce matin.

— Comment le savez-vous ?

— Voilà ! Tout de suite après son départ, j'ai dû prendre mon porte-monnaie pour payer le laitier. C'est alors que je me suis rendu compte de la disparition. Il était huit heures quinze.

— Parfait !

J'obtins l'adresse de sa banque qui, heureusement, ne se situait qu'à quelques pâtés de maisons du logement. Je téléphonai et, après avoir expliqué le cas au gérant, j'ajoutai :

— Dès que le voleur sera chez vous, appelez-moi. Retenez-le sous n'importe quel prétexte, ce qui me donnera le temps d'accourir et de l'épingler.

Madame Allenchère me fit un signe de la main : elle désirait me dire quelque chose.

— Un instant ! fis-je au gérant, et je plaçai ma main sur le récepteur.

— Non ! je ne veux pas que vous l'appréhendiez tout de suite. Je tiens à savoir pourquoi il a pris cet argent.

— D'accord ! acquiesçai-je, mais j'aurais préféré en finir au plus vite avec cette histoire.

Je revins à mon interlocuteur.

— Bon ! Madame Allenchère vous demande de lui remettre l'argent qu'il voudra retirer. Mais retenez-le tout de même un peu afin que je puisse me rendre à la banque.

Le gérant accepta de se plier à ma requête. Je raccrochai et je retournai m'asseoir en face d'Artémise.

— Pourquoi tenez-vous tant à le laisser vous piquer votre fric ? demandai-je. Il serait bien plus simple...

— Je veux savoir pourquoi il en a besoin. J'ai peur que ce ne soit encore une de ses combines...

— De quoi parlez-vous ?

— Eh bien ! Yvan revient parfois à la maison avec de drôles de paquets et il reçoit des appels téléphoniques de gens bizarres !

— Savez-vous ce que contiennent ces paquets ?

— J'en ai ouvert un, un jour qu'il n'était pas ici. Il contenait du tabac, un drôle de tabac... et des sachets de poudre.

— "Un *pusher*, me dis-je. Eh ben ! c'est pas marrant, cette histoire. C'est même tout à fait banal !"

J'eus presque envie de laisser tomber et de retourner chez moi. Mais, j'avais promis à la vieille de l'aider, alors...

— Vous comprenez, monsieur, j'aimerais que vous le rameniez dans le droit chemin...

— Ecoutez ! je ne suis ni le bon Dieu ni son père !

— Pourtant, je devine que vous êtes si honnête et si bon ! Mon fils pourrait trouver en vous un exemple à suivre !

Voilà qu'elle me prenait par les sentiments ! Et moi, quand une dame me prend par les sentiments (pour les demoiselles, c'est un peu plus bas !), je rends tout de suite les armes.

— Je vais faire mon possible ! dis-je enfin.

— Oh ! merci, monsieur.

— Combien d'argent avez-vous en banque ?

— Environ deux mille dollars... mais c'est tout ce qui reste des assurances de mon défunt, s'empressa-t-elle d'ajouter pour ne pas que je croie qu'elle vivait à l'aise.

Je consultai ma montre. Il était onze heures trente. L'attente pouvait durer un bout de temps. Ne voulant pas causer d'embarras à cette chère Artémise (et surtout, n'ayant aucunement l'intention de bouffer des sandwiches aux fourmis, assaisonnés de caca de souris), je résolus de me faire venir une caisse de bière et un repas chaud (eh oui ! déjà le début de ma cuite traditionnelle). Ce qui signifie que j'ai le pressentiment (mon éditeur aussi !) que cette enquête s'annonce plus longue que je ne le pensais de prime abord. A cet énoncé, mon petit doigt, qui était en train d'écraser une punaise sur le bras du fauteuil, interrompit son massacre et me lança un joyeux : "Je suis d'accord avec toi !" Ah ! que j'aime donc ça quand je fais l'unanimité en moi-même !

Mon déjeuner arriva bientôt. C'était du chinois, c'est-à-dire du "kitten fried rice" (chat, ch'est bon !), des "garlic bare ribs" (cherchez la viande autour de l'os !), des "sweet and sour kitten balls'' (surnommées ''boules de vampire'' !), et enfin des ''zegg rolls'' (aussi appelés par les amateurs de pataquès des ''nègres drôles''). Alors, les gars, souhaitez-moi ''bon appétit'' !

— Au fait, vous avez une photo de votre fils ? demandai-je à la veuve. Ça me serait sûrement utile !

Et je pensai : ''S'il ressemble à sa mère, je pourrai le reconnaître entre mille.''

Artémise se leva et se rendit dans sa chambre à coucher. Elle revint avec une photographie encadrée qui devait sans nul doute décorer sa table de chevet. Je l'examinai et je gravai les traits du fiston dans ma mémoire. Eh ben ! le môme Yvan, il avait tout l'air d'un tueur. Je me mis à élucubrer des hypothèses métaphysiques sur l'éternelle question des philosophes : ''Le visage reflète-t-il l'âme ?'' mais je m'interrompis soudain, car le téléphone sonna.

Le gérant de la banque me faisait savoir que le fils indigne était arrivé sur les lieux de son infâme forfait et qu'il désirait retirer $1 500.

''Au fond, c'est un bon garçon, me dis-je. Il aurait pu retirer le magot au complet.''

J'avalai une dernière bouchée de mon repas, j'enfilai mon manteau (je pris soin de le secouer auparavant et j'en vis sortir une légion de punaises !) et je quittai le logement insalubre.

Sur le seuil, Artémise me fit promettre de lui donner des nouvelles et surtout de ne pas faire de mal à son petit chéri.

* * *

Comme le soleil brillait de tout son pâle éclat hiémal et qu'il ne faisait pas trop froid dehors, je me permis d'attendre le loustic à l'extérieur de la banque. Je pourrais bien vous dire que c'est parce que je ne voulais pas attirer son attention, mais puisque j'ai juré d'être toujours franc avec vous, j'avoue que c'est plutôt parce que j'ai une véritable phobie des banques. Pourquoi ? Très simple ! Quand j'y dépose de l'argent, j'ai toujours l'impression qu'on me dépouille, sans rien me donner en retour (ne me parlez pas de l'intérêt, c'est pure invention pour attirer les poissons !), et quand j'en retire, c'est comme si on me prenait en pitié et qu'on consentait à me faire un prêt. Je sais, vous vous dites : "Il a trop d'imagination !" Pas du tout ! C'est que moi, contrairement à vous autres, je suis un Inconscient ambulant et que je devine sans cesse, au-delà de toute conscience, la véritable essence des situations et des choses. Ainsi, pour moi, les banques véhiculent une psychologie d'infériorisation systématique : quand vous allez chercher de l'argent (même si c'est *votre* fric que vous voulez retirer), on vous culpabilise au possible, on vous fait sentir que vous êtes de trop; et c'est pis lorsque vous arrivez, tout fiers, avec vos économies et que vous désirez apporter de l'eau au "moulin du Capitalisme"; on vous fait alors bien comprendre que "vos p'tits dollars, on pourrait s'en passer (ça serait, comme qui dirait, des formalités de moins), mais qu'y faut c'qu'y faut et qu'on accepte à contrecoeur de faire participer des morpions dans votre genre au Grand Oeuvre d'Exploitation".

Et si vous croyez que j'invente, rappelez-vous

les gallons de sueur que vous avez suintés la dernière fois que vous avez eu le malheur de demander un prêt à votre gérant.

De toute façon, moi, si je vous ai raconté ceci, c'est pour ne plus que vous me posiez de questions quand je resterai à l'extérieur d'une banque (exception faite de la Caisse pop — ma caisse — où les symptômes susmentionnés sont beaucoup moins prononcés, sinon inexistants).

Enfin, avant que de reprendre le fil de l'histoire, je vous signale qu'il s'agit là de ma deuxième gression et que je compte toujours vous en faire au moins dix au cours de l'aventure.

Le gérant dut penser que Madame Allenchère demeurait à l'autre bout du monde, car il retint le jeune Yvan pendant plus de dix minutes après mon arrivée.

Faisant des efforts surhumains pour vaincre ma tenaillante phobie, j'allais me risquer à l'intérieur de l'édifice, quand j'aperçus mon loustic, pilleur de fonds maternaux, qui se dirigeait vers la porte, le sourire aux lèvres et les poches remplies de foin. Sa visible satisfaction m'irrita au plus haut point et j'eus presque envie de rompre la promesse que j'avais faite à Artémise. Les gens n'ont-ils plus aucune pudeur ? Les spectres de vengeance de leur Surmoi se seraient-ils donc évanouis ? L'être humain se dirige-t-il inexorablement vers le meurtre du Père et la fin de toute culpabilité ? Tous des problèmes d'une profondeur abyssale que je refusai de résoudre en de telles circonstances.

Toujours est-il que le gars Yvan ne s'attarda pas sur les lieux.

Deux taxis, l'un à la suite de l'autre, attendaient le feu vert au coin de la rue. Il monta dans le premier et prit la direction de la rue Saint-Hubert. Je me précipitai vers la deuxième voiture et j'y montai.

— Suivez ce taxi ! ordonnai-je de mon ton le plus autoritaire.

— D'accord, monsieur !

J'appris alors que les deux chauffeurs étaient frères et qu'ils se spécialisaient dans les filatures en taxi.

— Ça fonctionne bien, l'industrie de la filature ? demandai-je au type qui, comme par hasard, s'appelait Lacoursière.

— Pas très fort, répondit-il. L'inflation, vous comprenez ? Y a de plus en plus de gens qui ne prennent qu'*une* voiture; ça coûte moins cher et puis, de toute façon, comme ils se rendent au même endroit... Tenez, la semaine dernière, mon frère Paul a décroché une triple filature : un mec qui était filé et qui en filait un autre. Eh ben ! ils sont tous montés avec Paul et ils ont partagé la course et le pourboire...

— Oui, mais en procédant de la sorte, la filature est éventée, non ?

— Oh ! vous savez, ces histoires de suspense, c'était bon avant. A présent, avec l'inflation et tout, ça coûterait les yeux de la tête. C'est comme vos aventures, que je trouve d'ailleurs excellentes. On vous reproche de désamorcer le suspense. Eh ben ! moi, je vous comprends ! Si vous ne le désamorciez pas, vous ne parviendriez pas à joindre les deux bouts...

— Comment ? Vous me connaissez ?

— Bien sûr que je vous connais, mon cher monsieur Papartchu.

— Comment m'avez-vous reconnu ?

— Très facile ! Y a plus qu'un détective nono comme vous qui utilise une deuxième voiture pour filer un type.

Je rugis et je me mis à le traiter de tous les noms :

— Descendez-moi ici, trouble-fête, calomniateur médisant, esclave du volant, maniaque du taximètre...

— Moi, je veux bien, répondit-il calmement, mais je doute fort que vos lecteurs soient d'accord : vous allez perdre votre homme de vue et vous serez obligé de recommencer votre enquête.

Au comble d'une exaspération que je devais contenir, je n'en donnai pas moins un coup de poing sur la boîte à gants. Puis, me croisant les bras, je me mis à bouder. Ah ! si vous n'étiez pas là, vous autres, je vous jure que je serais descendu et en vitesse. Me faire traiter de nono... Non, mais pour qui se prend-il ?

Enfin, le premier taxi s'arrêta devant une boutique de marchandises d'occasion. Mon client y entra. Je descendis de voiture à mon tour, après avoir refusé le pourboire au chauffeur impertinent. Il me remit la monnaie de la pièce que je ne lui avais pas donnée en m'éclatant de rire en pleine figure.

— Salut, Bonhomme ! me lança-t-il avant que je ne referme la portière.

Je pénétrai dans la boutique au son de clochettes rouillées qu'on avait suspendues au-dessus de la porte. C'était affreusement sale, délabré et tout ce que vous voudrez. La salle était encombrée d'articles hétéroclites et même de quelques objets érotogènes. Je me trouvais sans doute chez un brocanteur. J'ajoutai pour moi-même : ".." Puis, considérant que ma réflexion valait la peine d'être écrite à haute voix, je dis à votre intention : "Ma vaste expérience me porte à croire que cette façade cache un commerce louche."

En attendant que quelqu'un vînt me répondre, je fis un examen sommaire des curiosités offertes. Un coucou chanta midi. Une minute plus tard, ce fut au tour d'une vieille horloge à balancier.

L'attente m'angoissait. Je me décidai à interpeller l'invisible :

— Holà ! Y a quelqu'un ?

Pas de réponse. "C'est bête, me dis-je. Comment veux-tu que quelqu'un te réponde quand y a personne ?" J'usai alors d'astuce.

— Holà ! Y a personne ?

— Oui !

Et je vis sortir de derrière une armure un petit vieux tout chétif. C'était, nul n'est besoin de vous le spécifier, *quelqu'un en personne* !

L'antiquité ambulante s'avança vers moi.

— Que voulez-vous ? Puis-je vous être utile, mon riche monsieur ? baragouina-t-il en jetant un coup d'oeil plein de convoitise sur mon manteau hors de prix (un cadeau de Nicole). Un petit objet, un souvenir... ? continua-t-il en me dévisageant, comme s'il eût voulu percer le mystère de mon identité.

Me fiant à une intuition subite, je répondis :

— Je viens plutôt pour *placer* un objet...

Il se mit à rire.

— Ha ! ha ! ha ! mon riche monsieur ! Mais je

suis assuré que je ne pourrais jamais m'offrir les riches choses que monsieur voudrait me vendre. Ce serait au-dessus de mes moyens... Je ne suis qu'un pauvre et HONNETE petit commerçant...

Je vais vous confier un secret, les potes. Quand un type insiste trop sur son honnêteté, c'est sûr que c'est un voyou ! (article 302 de mon manuel du parfait détective). Je pris donc la mine d'un petit bandit de troisième ordre et je lançai :

— Ecoute, bonhomme ! j'ai besoin d'argent et tout de suite. Tu vois cette bague ? Eh ben ! je veux la placer chez toi. Il me faut du liquide, tu comprends ? Alors, tu me donnes combien ?

Le vieux se méfiait toujours. Il insista encore sur son honnêteté pendant au moins cinq minutes, puis il me demanda qui avait bien pu me fournir son adresse. Je hasardai :

— C'est Ti-cul Lamothe, de la bande à Fesse Francoeur ! (deux truands des ligues mineures à qui j'ai déjà eu affaire).

Par bonheur, le patriarche semblait les connaître, du moins de nom. Il m'invita à le suivre dans son arrière-boutique. De là, nous descendîmes à la cave par une trappe camouflée sous un tapis usé.

Yvan le Terrible y était déjà. Il manipulait des revolvers. Le vieux ne s'occupa pas de lui et traita aussitôt avec moi. Je lui remis la bague. Il tira d'un tiroir une loupe de bijoutier, qu'il fixa sur son oeil, et il examina longuement la pierre.

— Je te donne cent dollars et je garde le bijou pendant huit jours avant de le vendre.

— T'es pas un peu dingue ? répliquai-je. Elle

vaut $1 000, cette bague !

— Justement ! T'as pas l'air d'être un habitué du mont-de-piété, le jeune !

— Non ! Je serais plutôt un habitué du Mont de Vénus !

— Alors, tu acceptes ? dit-il, feignant de n'avoir pas compris mon gag.

— $100, c'est pas beaucoup.

— C'est à prendre ou à laisser.

A ce moment, Yvan vint nous trouver.

— C'est celui-là que je veux ! fit-il en montrant une arme.

Le vieux s'éloigna en sa compagnie et discuta le prix. Ainsi, c'était un revolver qu'il voulait, le blanc-bec. Mais pourquoi faire ? (Quel est l'imbécile parmi vous qui vient de chuchoter : "Pour s'en servir, voyons !" ?)

Comme je ne tenais pas à perdre de vue mon bonhomme et que la transaction qu'il opérait avec le brocanteur semblait sur le point d'aboutir, je retournai auprès d'eux.

— Ça va, vieux ! dis-je. Donne-moi le fric !

Il me remit l'argent et me signa une reconnaissance. Yvan s'était procuré un revolver et une boîte de balles. Nous remontâmes donc ensemble à la boutique.

J'essayai d'engager la conversation avec le jeune.

— Un beau *gun* que tu as là !

Il me jeta un regard méfiant.

— Tu t'y connais ? dit-il enfin.

— Un peu ! J'en ai un pareil.

Puis, je détournai les yeux et je feignis de ne plus trouver cette conversation digne d'intérêt. Le jeune en fut impressionné. Il commençait à me regarder comme un vieux pro, un as de la gâchette, un roc d'insensibilité, etc. Je laissai tout de même tomber, en ne m'adressant à personne en particulier :

— Ouais ! je pense que je vais aller prendre une bonne bière.

L'autre mordit aussitôt.

— Je me rends à la taverne Cliche !

— Au coin de Saint-Denis ? fis-je comme ça, l'air dédaigneux, pour lui faire sentir que ce trou était bien au-dessous de ma condition, mais pour lui démontrer du même coup que j'étais parfaitement au courant des lieux de rendez-vous de la racaille du milieu. Ti-cul Lamothe fréquente-t-il toujours l'endroit ? ajoutai-je.

— Je ne le connais pas.

— C'est vrai ! T'es pas mal jeune et je te parle d'il y a dix ans ! (Notez la psychologie : ne pas rater une occasion de l'écraser de ma supériorité. Et je vous jure que, chez ce genre de novices, ça fait beaucoup d'effet.)

— Si tu veux prendre une bière avec moi... je vais rejoindre des copains ! hasarda-t-il.

Je pris le temps de consulter ma montre, de jouer au mec qui n'a jamais plus de six minutes vingt secondes à perdre dans une journée, et je dis enfin :

— D'accord ! c'est moi qui te l'offre !

— Non, non ! c'est moi ! j'ai de l'argent... j'ai 1 500 piastres sur moi ! (Tout à fait novice : confier ainsi le montant de ses liquidités à un inconnu !)

Il se rendit compte de sa gaffe et se renfrogna.

— Je m'appelle Benoît Samson, dit Big Ben, repris-je pour l'amadouer (de la sorte, je ne serais plus un inconnu pour lui).

— Moi, c'est Yvan, dit Ti-gun. (Cette manie qu'ils ont de se donner des surnoms ! Ça fait primitif, vous ne trouvez pas ?)

Nous étions arrivés à la porte.

— Salut, vieux ! lançai-je au brocanteur-receleur-shylocker.

— Salut, Bonhomme ! répliqua-t-il.

Je sortis avec Yvan et nous prîmes un autre taxi pour nous rendre à la taverne.

* * *

Une enseigne tout à fait moche, à la peinture écaillée, pendait lamentablement au-dessus de la porte, tandis que dans la fenêtre, un néon rouge tentait, en tordant ses boyaux flamboyants, de former le mot "taverne". Sur le panonceau s'étalait la raison sociale, *Chez Cliche*, mais un petit malin, sans doute inspiré par ma philosophie romanesque, avait ajouté un accent aigu au nom du proprio.

Nul doute que l'endroit se conformait en tous points aux descriptions éculées qu'on véhicule sur ce genre d'établissement miteux. En fait, je dus et avec peine retenir un éclat de rire en entrant à la taverne *Cliché* : une longue salle, peuplée de tables rondes, s'étirait en bâillant; à gauche, le bar chromé et les armoires réfrigérées trônaient comme des nourrices mamelues; plus loin, les toilettes, vieilles prostituées sans clientèle, répandaient autour d'elles, pour se faire remarquer, des parfums équivoques; juchée sur une tablette, une grosse télé couleur essayait d'imposer son papotage aux ivrognes abrutis qui dormaient, appuyés contre le mur ou accoudés sur les tables; deux tableaux attiraient l'attention : le premier affichait les prix de l'alcool et des menus hors-d'oeuvre offerts par la maison (oeufs à la coque marinés, langues de boeuf et biscuits soda, sandwiches divers), et le deuxième annonçait les numéros gagnants de la loterie ainsi que les derniers succès de la vaillante équipe de ballon-balai de la taverne Cliche (je me demande où ils dénichent leurs joueurs parmi cette assemblée de cirrhotiques !).

A notre entrée, un pochard endormi à une table près de la porte frissonna dans son sommeil. Sans même se réveiller, il tendit le bras, saisit son verre de bière et en but une gorgée. L'automatisme, mes amis !

Le garçon en chemise blanche et portant à la ceinture un tablier-porte-monnaie de cuir noir nous suivit du regard, avec l'oeil indifférent et profondément méditatif d'une vache qui voit passer un train.

Un autre ivrogne, sans doute secoué par le courant d'air que nous déplacions sur notre passage, perdit l'appui du coude sur lequel il reposait pour roupiller et s'affaissa lourdement sur le sol, entraînant avec lui la table et les verres qui s'y trouvaient. Machinalement, le garçon alla le relever, balaya les débris de verre et retourna à sa place, l'air ennuyé.

Nous parvînmes au fond de la salle. Trois jeunes y étaient assis, qui ne s'apparentaient pas du tout à l'ensemble de la clientèle. Ils ressemblaient plutôt à des petits délinquants en conciliabule. Au-dessus de leur tête, un épais nuage de fumée répétait à tout instant : "Voici mes fils mal aimés, en qui j'ai mis toute ma déplaisance !"

Les trois voyous, qui devaient être du même âge qu'Yvan, tournèrent leurs regards vers nous :

— Salut, Bonhomme ! dirent-ils à mon copain, tout en lui jetant un coup d'oeil interrogatif sur les raisons de ma présence.

Yvant leur rendit leur coup d'oeil et c'est ainsi qu'en l'espace de deux secondes et huit dixièmes, ils surent que j'étais un dur, un vieux de la vieille (ma mère avait 72 ans quand elle me conçut !), un type qui n'a pas froid aux yeux, ni même aux orteils, enfin ! point n'est besoin de vous faire un dessin. Tout ça pour vous dire qu'un seul échange de regards suffit à m'introduire dans le groupe, sans que j'eusse à serrer la pince des compères; car, dans ce milieu, contrairement à la croyance populaire, l'oeil est plus rapide que la main.

Tout au plus nous adressâmes-nous, les mecs et bibi, quelques grognements de politesse.

Il ne restait plus qu'à commander le liquide. Une embêtante alternative s'offrait à moi : crier la commande au garçon pour lui éviter de se déplacer deux fois (avec son immense bedaine, ça devait lui être plutôt pénible), cette solution ayant pourtant le désavantage de rompre la quiétude relative de l'endroit et de faire sursauter tous les pochards endormis; ou encore, attirer son attention en claquant des doigts et lui faire connaître avec mes mains le nombre de bières désirées.

J'optai pour la deuxième solution : il fallait

dix bières et j'avais dix doigts (du moins, je pense ! Attendez ! un, deux, trois... oui ! c'est bien ça !).

Je fis donc claquer mes doigts. Le ruminant tourna les yeux vers moi et je plaçai mes deux mains ouvertes au-dessus de ma tête. Au début, il crut que je lui faisais une grimace; puis, il pensa que je voulais représenter les bois d'un orignal et qu'ainsi je lui demandais subtilement s'il avait du "caribou" à vendre; enfin, il se dit que je désirais sans doute me laver les mains et il m'indiqua le chemin des toilettes. Alors, je criai :

— Dix bières, calvaire !

Trois ivrognes endormis allèrent embrasser le plancher dans un bruit fracassant. Nous dûmes attendre que le ménage fût fait avant de pouvoir nous couler une "draffe" dans le gorgoton.

Lorsque le liquide fut sur la table, les mecs entamèrent une conversation étrange avec le fils Allenchère. C'était du genre "triple code" ou, si vous préférez, "essaie de deviner ce qu'on dit".

— J'ai fait un bon voyage à la ferme, commença Yvan. Les patrons sont très satisfaits de la récolte. Mais, crisse, il fallait qu'en revenant, j'apprenne que la poule avait perdu !

— Après tout ce qu'elle a fait pour pondre son oeuf ? répliqua "Barniques", un petit maigrichon à lunettes.

— C'est la faute à qui ? demanda "Bizounne", un grand sec au nez cyranesque.

— Ben ! c'est Cochon, le salaud ! reprit Yvan. Et il va payer, tu peux me croire ! Il avait promis et elle a marché ! Je vais lui faire avaler des épluchures de patates, moi, à Cochon ! Surtout s'il refuse de me rembourser le foin que j'ai investi dans l'affaire.

Je me mis alors à fredonner l'air de *Sur la ferme à Mathurin*... (*Old Macdonald has a farm* pour les ceuses qui ont fréquenté les collèges anglais). Les quatre types se tournèrent vers moi, étonnés. Je leur jetai :

— Si vous avez besoin d'aide, les gars... mon grand-père était cultivateur !

Ils étaient tellement plongés dans leur entretien codé qu'ils crurent que je parlais moi aussi par paraboles.

— Merci, bonhomme ! que me dit Yvan, mais on ne tient pas à avoir des ennuis avec la grand-mère.

Comprenez-vous quelque chose, vous autres ?

Le troisième mec, qui n'avait pas encore ouvert la bouche et qui s'appelait Bugs Bunny (à cause de son bec-de-lièvre), lança :

— De toute façon, les carottes sont cuites !

Yvan tira de sa poche six cents dollars et en remit deux cents à chacun de ses copains.

— Avec ça, vous pouvez acheter assez de foin pour le reste de l'hiver. Bien entendu, vous me remettrez la mise de fond après les ventes, en plus de la commission.

— Crains rien ! s'exclama Barniques. Tu peux nous faire confiance. Et puis, si t'as besoin d'un coup de main pour Cochon...

— Non, merci ! C'est une affaire entre lui et moi...

Il se leva et annonça :

— A présent, je pars pour Québec. Il faut que j'y sois ce soir !

— Bonne chance ! s'écrièrent les trois autres.

— Toute une coïncidence ! lançai-je comme

ça à tout hasard.

— Que veux-tu dire ? demanda Yvan.

— C'est que je vais aussi à Québec. Je peux t'offrir un *lift*...

Il hésita un bref instant.

— Pourquoi te rends-tu à Québec ?

— Le Phénix est brûlé, commençai-je, sûr de moi, et je dois aller le refroidir ! (Après tout, tant qu'à être dans le Bestiaire, restons-y, s'pas ? Quoique mon gag, il est un peu tiré par les *chevaux* !)

D'un regard furtif, Yvan demanda à ses copains ce qu'ils en pensaient. On lui répondit, par le même procédé, qu'il pouvait me faire confiance.

— Ça va ! dit-il enfin.

Je me levai à mon tour.

— Alors, écoute ! Je vais prendre ma bagnole et je reviens te chercher ici dans une heure.

C'était dans le sac !

Avant de quitter la taverne, j'envoyai une dépanneuse dégager ma voiture. Je quittai les lieux sur la pointe des pieds (pour ne pas créer d'autres incidents fâcheux), je hélai un taxi et j'arrivai à la maison au moment même où mon garagiste venait de tirer ma bagnole de la congère.

Le temps de prendre mes armes, quelques vêtements, de laisser un message à Nicole et je courus jusqu'à la porte. Ah ! c'est vrai ! j'avais oublié d'appeler la veuve Allenchère. Je me rendis au téléphone et je téléphonai à la vieille.

— Bonjour ! ici Papartchu Dropaôtt ! Votre fils part pour Québec en ma compagnie. Ne craignez rien ! je vais bien le surveiller pour ne pas qu'il fasse le con !

— Oh merci, monsieur ! Je savais que vous aviez un coeur d'or !

— C'est ça ! Je vous tiens au courant ! Au revoir !

En raccrochant, je m'aperçus que le ruban de ma bébitte enregistreuse avait été utilisé : des messages m'attendaient. Quatre, pour être plus précis.

1. Mon éditeur me faisait savoir que mon dernier bouquin allait être réédité tellement il se vendait rapidement. Satisfaction !

2. Nicole, ma petite femme chérie, ne pouvait décoller de Winnipeg à cause d'une tempête de neige. Son départ était retardé jusqu'à nouvel ordre. Parfait !

3. Mon cousin Papartchu Veilleux m'appelait de Québec. Il désirait me voir de toute urgence. Il m'avait probablement téléphoné dans un état d'ébriété avancé, car le ruban du magnétophone était trempé de bière.

4. Un nommé Gilles Mattheau, organisateur du Carnaval de Québec, voulait lui aussi me voir le plus rapidement possible.

Eh ben ! mes vieux, cette aventure s'annonce très mal pour bibi. (Mon éditeur vient de s'écrier : "Ha ! ha ! ha ! trois histoires en une ! Je vais pouvoir vendre le bouquin plus cher !")

Les préparatifs de départ étant terminés, je quittai ma piaule et j'allai retrouver le copain Yvan Allenchère, *pusher* de son métier et dont la poule s'était, semblait-il, fait passer un coup de cochon !

qu'il fasse le mort.

— Comment, monsieur ! je savais que vous aviez un cœur d'or !...

— C'est [illegible] de vous tenir au courant ! Au revoir !...

[illegible] pendant [illegible] que [illegible] de mes [illegible] que [illegible] utilisé [illegible] message [illegible] plus [illegible]

[illegible] il se [illegible] venait [illegible]

Nicolas [illegible] ne pouvait [illegible] que [illegible] de [illegible] corps [illegible] ...

[illegible] Par [illegible] de [illegible] un [illegible] dans le [illegible] grâce [illegible]

[illegible] du Conseil de [illegible] n'avait pas vu le [illegible]

En [illegible] annonce [illegible] de [illegible] ne pouvoir [illegible] cher !

[illegible] terminée, je quittai ma [illegible] relever le mondain Van Allen [illegible] son métier et dont la [illegible] passer au coup de [illegible]

CHAPITRE DEUX

Où tout le monde semble prendre Papartchu Dropaôtt pour Dieu le Père, ce qui, au fond, ne lui déplaît pas trop.

Nul doute que ma splendide bagnole impressionna le jeune Yvan. Il dut se dire : "J'ai vraiment affaire à un pro !"

Pourtant, malgré toute la peine que je me donnais pour l'assujettir psychologiquement et, ainsi, l'amener à se confier à moi, je ne parvenais pas à le faire parler de son voyage à Québec, encore moins de ce "Cochon" à qui il voulait faire bouffer des épluchures de pommes de terre.

Par contre, il n'hésitait pas à me déballer un tas de salades sur ses exploits, comme s'il eût cherché à se revaloriser à mes yeux. Il accordait notamment une importance particulière à ses prouesses sexuelles. D'après lui, il avait réduit en esclavage des centaines de donzelles...

Je lui dis :

— Y a pas une fille pour qui tu éprouves plus d'affection que pour les autres ?

La question lui parut une insulte et il s'empressa d'apporter une dénégation formelle, trop formelle justement pour qu'elle fût sincère.

— Tu sais, repris-je, dans notre milieu, on fait tous les farauds à propos des pépées mais, au fond, y a toujours une bonne femme qui nous retourne le coeur et avec qui on est doux comme des agneaux. La mienne, elle s'appelle Ginette. Avant, les gens l'appelaient l'*autobus* (tout le monde embarque !)... A présent, y a plus personne qui ose lui donner ce surnom, parce qu'elle est à moi. Maintenant, on dit "la touffe à Big Ben". (Je vous jure que, si ça continue, on va se retrouver tous ensemble dans un mélo hollywoodien, bibi jouant le rôle du voyou au grand coeur — un peu comme dans les films d'Elvis Presley (que Dieu ait son âme et ses fans, sa collection de slips !).)

Yvan sembla convaincu du bon sens de mon exposé, car il jeta, un peu intimidé :

— Moi aussi, j'ai une donzelle que j'aime bien. Elle s'appelle Carmen Bizet.

— Et elle habite Québec...

— Comment tu le sais ?

— "La Poule", c'est elle, hein ?

Il baissa la tête. Son code n'était pas encore au point.

— Y a un type qui te l'a chipée ?

— Ça ne te regarde pas ! éclata-t-il.

— Ecoute, vieux, je dis ça comme ça.. au cas où t'aurais besoin d'un coup de main...

— Je peux m'arranger tout seul !

— Du moment que tu le dis !

Nous nous tûmes et nous laissâmes défiler, de part et d'autre de la route, les vastes étendues immaculées qui étincelaient au soleil (parfois, je vous jure que je m'embrasserais, tellement j'aime mes trouvailles stylistiques !).

Près de Drummondville, deux auto-stoppeurs (communément appelés "pouceux") étaient en train de congeler sur le bord du chemin. Ils faisaient à ce point pitié que je décidai de les faire monter. Yvan ne broncha pas.

Le couple s'élança vers ma voiture.

— Salut, Bonhomme ! dirent-ils en choeur, avant de s'enquérir de ma destination.

— Mais qu'est-ce qu'ils ont tous avec leur "Salut, Bonhomme !" marmonnai-je.

Je réfléchis un instant et j'ajoutai, toujours pour moi-même : "Ça doit être à cause du titre du bouquin !"

— Nous allons à Québec ! lança Yvan.

— Parfait ! répondit le grand barbu.

Les deux jeunes s'installèrent à l'arrière. Le gars retira son manteau et le roula sur ses genoux. Sa compagne l'imita et je me rendis compte alors que le Québec en hiver, c'est pas le paradis des voyeurs (ce serait plutôt un pays où court une loterie nommée "devine ce qui se cache en dessous"). En fait, une fois la première pelure enlevée, la jeune fille, que j'aurais bien aimé traiter aux petits oignons, ressemblait beaucoup plus à Raquel Welch qu'à Twiggie.

Quoi qu'il en soit, ces jeunes avaient un comportement bizarre.

— Nous sommes complètement gelés ! s'écria le barbu.

— C'est vrai qu'il ne fait pas chaud dehors ! répliquai-je.

Ils éclatèrent de rire (je vous l'avais bien dit qu'ils avaient l'air étrange).

— Qu'allez-vous faire à Québec ? demandai-je,

nullement troublé par leur réaction précédente.

— Nous ne le savons pas encore.

Nouvel éclat de rire.

— Vous vous rendez au Carnaval ? insistai-je.

— C'est quoi, ça ? demanda la jeune fille en s'esclaffant.

Je tournai les yeux vers Yvan. Il fit le geste de quelqu'un qui fume une cigarette. J'avais compris. (Qui vient de chuchoter : "Il est à peu près temps !" ?)

Ah ! jeunesse d'aujourd'hui ! Jusques à quand t'abîmeras-tu dans la passivité édénique ? L'homme est un gros sot pensant, mes amis ! Conscient de l'absurdité de son existence et de l'absence de toute finalité, il se couvre les yeux d'un voile anesthésique afin d'échapper à ses angoisses. "Où allons-nous ?" comme dirait l'unijambiste Lazare. "Prends ton grand bas et marche !" lui avait répondu Ti-Jésus. Enfin, mieux vaut ne pas s'éterniser là-dessus, car vous seriez alors obligés de réfléchir...

Je priai les deux énergumènes de s'identifier.

— Je m'appelle André, dit le barbu. Je fais de l'artisanat.

— Et moi, Roseline ! s'exclama la jeune beauté. J'étudie la graphologie et l'astrologie. Et vous autres, ajouta-t-elle, qu'allez-vous faire à Québec ?

— On va descendre des types ! répondit le fiérot Yvan.

Toujours ce besoin dévorant de se mettre en valeur ! Il n'était pas encore mûr pour les ligues majeures. Je lui jetai un regard foudroyant de reproche et il se renfrogna aussitôt. Quant à nos deux voyageurs assis à l'arrière, ils promenèrent des yeux terrifiés de moi à lui et de lui à moi. Ils devaient commencer à faire un mauvais voyage.

Le barbu, qui voulait reprendre en mains la situation, lança avec un air bravache :

— Si c'est vrai, faites donc voir vos *guns* !

Le complexé Yvan n'en demandait pas plus. Il s'empressa d'exhiber son revolver flambant neuf qui avait jadis servi à John Wilkes Booth pour assassiner le pote Abraham (Lincoln, bien entendu !). La donzelle émit le petit cri d'une souris qui se fait coincer le museau dans une ratière.

J'essayai de la rassurer du mieux que je pus et de lui faire oublier l'outrecuidance de mon compagnon de voyage :

— Ne craignez rien ! dis-je, comme ça. Nous ne sommes que des flics du "narcotique" de la G.R.C. ! (Je sais, je sais ! mais, que voulez-vous ? La phrase m'a échappé...)

Cette blague (à tabac spécial) ne produit pas l'effet lénifiant que j'attendais. Les jeunes roulèrent des yeux effarés et tremblèrent pendant tout le trajet. Ce ne fut qu'aux abords de Québec que la petite Roseline me demanda d'une voix chevrotante :

— Vous nous conduisez au poste ?

— Mais non, mais non ! Pourquoi gâcherions-nous votre plaisir ? Au fait, où voulez-vous descendre ?

— Tout de suite ! répondit André. Si ça ne vous fait rien...

— Nous venons à peine de franchir le pont, répliquai-je.

— S'il vous plaît ! implora la fille.

— Comme vous voudrez ! Mais vous devrez faire de l'auto-stop pour traverser Ste-Foy. Et, par ce froid...

Enfin, j'insistai tellement qu'ils acceptèrent de ne descendre qu'à Place d'Youville.

Avant qu'elle ne sorte, je dis à Roseline :

— J'espère bien te revoir un jour ! Et je lui laissai mon faux nom et l'adresse de l'hôtel où je comptais m'installer.

Elle esquissa un sourire timide et se hâta de déguerpir avec son moté.

— Bon ! à présent, je te mène où ? demandai-je au fils Allenchère.

— Et toi, tu fais quoi ? s'enquit-il.

— J'ai des gens à rencontrer.

— Alors, conduis-moi avenue Seigneuriale à Beauport.

En chemin, il voulut savoir s'il pourrait faire appel à moi en cas de besoin (vous voyez qu'il commence déjà à avoir la trouille, le petit !).

— Tu n'auras qu'à t'adresser à mon hôtel. Et j'ajoutai : Et toi, où vas-tu ?

— Chez ma fille !

A ma demande, il inscrivit le numéro de téléphone sur un bout de papier.

Nous arrivâmes bientôt. Il me salua et descendit. Je notai l'adresse de la bicoque où il allait loger et je retournai à Québec.

"C'est bien beau, me dis-je, comme ça, dans le creux de l'oreille, mais je ne suis pas plus avancé. Comment vais-je faire pour le surveiller tout en menant ma propre enquête, car je suis prêt à parier que Veilleux et le mec Mattheau veulent, eux aussi, me confier une affaire ? Je ne peux tout de même pas mobiliser les Papartchus de la ville, comme je l'ai fait dans *l'Histoire louche de la cuiller à potage* (une façon comme une autre de promouvoir la vente de mes bouquins, s'pas ?)..." Cette question épineuse me chicota pendant au moins deux minutes. Enfin, je décidai de tenter ma chance en laissant Yvan libre de ses mouvements. Confiant dans ma bonne étoile (Gina Lollobrigida) et surtout dans mon illustre copain G.M. (Grand Manitou), je dirigeai ma voiture vers le quartier Saint-Sauveur (appelé aussi *Saint-Sauve-toi*, rapport à la réputation plutôt mauvaise du coin), où demeurait la famille de mon cousin, le cirrhotique Papartchu Veilleux. Leur taudis ayant été rasé par la municipalité, ils créchaient, les petits bâtards, dans ce que les sociologues appellent complaisamment un H.L.M. (sigle tout à fait neutre mais qui camoufle l'appellation "Hôtel pour Loqueteux Misérables"). En entrant, je me dis que les urbanistes n'étaient pas fous du tout, car en parquant les méchants pauvres dans un même ghetto, ils facilitaient fichtrement la tâche des flics qui n'avaient plus à surveiller qu'une superficie réduite.

Je pris donc l'ascenseur, après avoir annoncé mon arrivée imminente dans l'interphone qui donnait accès, par un génial procédé de "Sésame, ouvre-toi !", à la caverne des mille quarante voleurs.

Je m'orientai assez facilement dans le labyrinthe du huitième étage en suivant les traces de bière qui couraient sur le tapis. J'aboutis rapidement à la Case de l'oncle "Bum". Je sonnai et la charmante et éléphantesque Noëlla, surnommée Miss Bigoudis, vint m'ouvrir.

— Salut, cousin ! Tu viens voir Veilleux, je suppose ?

— En effet ! Il m'a téléphoné ce midi. Je peux entrer ?

Elle me livra le passage avec réticence. A ce que je crus comprendre, elle était seule et regardait un film en noir et blanc sur sa télé couleur à crédit (d'ailleurs, c'était à peu près le seul meuble qu'on trouvait dans le logement, le reste du mobilier ayant été saisi la semaine précédente par la finance).

Alors, où il est Veilleux ? demandai-je.

— Où veux-tu qu'il soit ?

Cette répartie, faite sur un ton plus ennuyé que rancuneux, n'exigeait aucun éclaircissement. Il me suffisait de savoir s'il y avait une taverne dans les environs.

— Je peux l'attendre ici... suggérai-je.

— J'allais sortir ! répliqua-t-elle.

Je faillis lui demander si elle prendrait d'abord le temps d'enlever ses bigoudis, mais je retins cette question ridicule. Chacun sait que ces bonnes femmes ne sont pas, comme nous, esclaves des qu'en-dira-t-on. La cousine Noëlla irait magasiner au naturel, en bigoudis, avec un léger fichu sur la tête. Elle se rendrait d'abord au magasin où l'on remettait gratuitement des bas-culottes à celles qui venaient encaisser leur chèque du Bien-être social; elle y retrouverait des copines de misère avec qui elle bercerait ses rêves devant les vitrines regorgeant d'articles inaccessibles; ensuite, le rêve creusant l'appétit, elle suivrait ses compagnes dans un petit restaurant miteux où elle engouffrerait, avant le dîner, une grosse pizza garnie. Scénario cliché, dites-vous ? C'est que vous n'êtes que des petits bourgeois peinards qui ne connaissez rien à la vie (j'en profite pour vous signaler qu'il s'agissait là de ma troisième gression !).

Enfin, j'obtins le nom de la taverne où Pépère Veilleux se noyait habituellement le cerveau. Pour m'attirer les bonnes grâces de la grasse Noëlla, j'affirmai que je ferais boire du Coca-Cola à son débauché de mari. Elle me remercia en esquissant un sourire du genre "c'que tu peux être drôle, bonhomme ! Je sais bien, moi, que Veilleux va revenir à la maison à quatre pattes, ce soir !"

Afin de me déculpabiliser davantage face à cette dèche, assumée si stoïquement, je remis vingt dollars à la cousine en la priant d'acheter des gâteries pour ses trois mioches, quoique je susse fort bien qu'avec cet argent elle achèterait plutôt des billets de loto (on est altruiste comme on peut, s'pas ?).

Je sortis rapidement de l'édifice, car je ne doute pas que vous avez le coeur au bord des larmes et que, si je continue dans cette voie, vous allez vous mettre à chialer. Après tout, je suis là pour vous faire rire et non pour vous faire pleurer, bande de crocodiles !

Dès mon arrivée à la taverne *Ti-Mé* (le proprio était un certain Platon), je me mis à la recherche de Veilleux. J'eus un peu de difficulté à le retrouver. Enfin, je le dénichai sous une table. Naturellement, ce vieux gredin essaya de se justifier en me racontant l'histoire du type qui a échappé quelque chose par terre, mais je refusai de cautionner son récit farfelu. D'ailleurs, dès qu'il tenta de se rasseoir, il retourna embrasser le plancher.

Je sais, vous vous dites : "Nous voilà plongés dans une peinture sordide de la déchéance humaine ! *L'Assommoir* de Zola, c'est de la petite bière à côté de cette histoire ! etc." Que voulez-vous ? C'est le bouquin qui veut ça ! Et puis, ces incursions dans l'univers phantasmatique de l'alcool trouvent chez vous beaucoup trop de résonances pour ne pas que vous soyez tentés de vous identifier à mes personnages (dixit le copain Martel).

J'aidai donc mon cousin à se relever (je vous jure qu'à ce moment-là, dans mon esprit, il n'existait plus aucun lien de parenté entre lui et moi — du genre "qui c'est ce type-là ?" ou, mieux encore, "le reniement de Saint-Dropaôtt"). J'assujettis sa graisse débordante sur le siège et je me mis à le vilipender vigoureusement.

— Honte à toi, infâme déchet de notre noble famille ! Tu es en train de vicier à jamais la branche québécoise des Papartchus ! Maillon pourri de la chaîne génétique, tes vapeurs éthyliques polluent jusqu'à la mémoire du grand Guérin, soldat de son métier et ancêtre de tes ancêtres ! L'antihagiographie de tes frasques empoisonnera encore l'existence du petit-petit-petit-petit-petit-fils de moi-même !

Si vous croyez que cette algarade eut le moindre effet culpabilisateur sur ce Fiodor Pavlovitch Karamazov du Québec, c'est que vous nourrissez des illusions tenaces sur la nature humaine. Car Veilleux se contenta de lever vers moi ses yeux vitreux et, pour toute réponse, il émit un rot dégoûtant.

Constatant que les injures glissaient sur lui

comme sur la peau d'une cane nageant dans une mare de bière (d'où le terme "canc de bière"), je résolus de me montrer plus compréhensif et de mettre à l'épreuve la méthode "Armée du Salut".

— Tu as péché, mon frère, mais Jésus est là qui te comprend, qui t'aime et veut te secourir.

Veilleux leva le bras et cria :

— Garçon, apporte une bière pour mon ami Jésus !

Rien à faire ! Décidément, ces types-là sont imperméables à tout (c'est qu'ils sont déjà noyés par en dedans !).

— Suffit, les folies, vieux pochard ! m'écriai-je enfin. Pourquoi m'as-tu appelé ?

Il sembla revenir un peu à la réalité. Il se concentra très fort, comme pour retrouver le fil de ses idées, et cracha :

— C'est vrai ! j't'ai téléphoné ! Mais je ne me rappelle plus pourquoi !

— Voyons, fais un effort !

Les traits de son visage se crispèrent de nouveau.

— C'est ça ! s'exclama-t-il.

— Quoi ? m'enquis-je, pendu à ses lèvres (berk !).

Il hésita.

— Non ! je ne m'en souviens plus... T'sais, c'est venu, comme ça, et puis pffffuit ! c'est reparti. C'est drôle, hein ? Et il éclata d'un rire épais.

Je nous commandai de la bière et du jus de tomates, sachant que ce fruit a parfois la propriété d'atténuer les effets de l'ivresse. C'est donc devant des verres de bière rouges que notre conversation surréaliste se poursuivit.

— Alors, Veilleux, tu te rappelles ou non ? Ecoute, j'ai d'autres clients à voir et je ne tiens pas à perdre mon temps avec un soûlard comme toi.

Il leva son verre et gueula de sa voix éraillée :

— Le sang du Christ !

Puis, à voix basse, le corps secoué de hoquets de rire, il me dit : "Hey ! penses-tu qu'en priant un peu on pourrait changer cette bière-là en sang ? On le vendrait à la Croix-Rouge et on ferait fortune... Hi ! hi ! hi !"

— Veilleux, c'est la dernière fois que je te le demande : pourquoi m'as-tu appelé ?

— Attends, attends, vieux ! T'sais, j'ai une mémoire pas mal "vlimeuse" : elle me rappelle toujours mes mauvaises actions, mais elle fait semblant de ne pas se souvenir des bonnes ! Attends. Ce matin, je suis allé à la Régie pour m'acheter du gin. Après, je suis venu ici. C'est entre mon arrivée à la taverne et le moment présent que ça c'est passé.

Je commençais à croire que ce vieux nigaud m'avait fait marcher.

— Ne me dis pas que tu m'as téléphoné parce qu'on t'a chipé ta bouteille...

— Non, mais ç'a rapport à la bouteille.

— Alors, qu'est-ce qu'elle a de spécial ?

Il fouilla dans les poches de son manteau et en tira un flacon d'alcool qu'il me tendit.

— Goûte-moi ça et dis-moi si c'est du vrai gin.

Je ne comprenais plus rien.

— Ecoute, Veilleux, tu t'es trompé, tout simplement. Dans ton état, y a rien de surprenant ! Si c'est pour ça que tu m'as dérangé...

— Non, non ! protesta-t-il. Depuis le temps que j'en bois, jc sais distinguer le gin pur du gin dilué.

Je saisis la bouteille, je dévissai la capsule, je humai le liquide et j'en pris une gorgée. Veilleux avait raison : l'alcool paraissait légèrement moins fort qu'à l'habitude.

— Et puis ? fis-je en lui remettant le flacon. C'est une erreur de fabrication, une mauvaise cuvée, que sais-je ?

— Oui, mais quand tout le stock de la Régie est dilué...

— Que me chantes-tu là ?

— Dix de mes copains ont remarqué la même chose. Et pas seulement pour le gin : pour la vodka, le rhum, le scotch, le whisky...

— Et tu crois que c'est un complot contre les pochards de la ville de Québec ? lançai-je en riant.

— Non, contre les "carnavaleux". Y a beaucoup de monde qui vient au Carnaval et des gens qui parviendraient à diluer les stocks d'alcool feraient un fameux coup d'argent.

— Il faudrait que les compagnies de fabrication participent au complot.

— Peut-être, mais pas nécessairement !

— Alors, ça suppose une organisation énorme... et tout ça pour quelques jours de festivités. Non, mon vieux, tu divagues !

— Admets pendant un instant que ce soit réalisable. Le Carnaval représente une concentration idéale de buveurs d'alcool. Y a peut-être 200 000 touristes qui viennent à Québec, sans compter la population mєme de la ville qui s'en donne à coeur joie. Qui plus est, à cause du froid, les gens boivent du "fort", non pas de la bière.

— Même si tu dis vrai, je ne peux rien faire pour toi. J'ai déjà une enquête sur les bras et je dois rencontrer un organisateur du Carnaval qui va probablement m'en confier une deuxième. A moins que...

— A moins que quoi ? demanda-t-il, les yeux subitement allumés d'espoir.

— Que tu travailles de ton côté... Tout seul, je n'aboutirai à rien.

— Mais c'est justement ce que je voulais, reprit-il. Je suis disposé à mobiliser une centaine de copains pour cette affaire. Nous n'avons besoin que d'un chef pour coordonner les efforts. Et je me suis dit que t'étais le seul capable...

— Suffit, les fleurs ! Alors, j'accepte !

Veilleux dégrisait à vue d'oeil tant il était excité.

— On commence par quoi ? demanda-t-il.

— Tu prends des renseignements dans les succursales de la Régie. D'où proviennent leurs stocks récents ? Y a-t-il eu des commandes spéciales en prévision du Carnaval ? Tâche de savoir si les livraisons se font directement par les fabricants ou si la Régie possède son propre système de distribution. Essaie aussi de retracer les dates de livraison, le nom des compagnies de transport (s'il ne s'agit pas de camions de la Régie). Tiens-moi au courant des recherches. Je te donnerai mes instructions d'après les progrès de ton enquête.

— Merci, Dropaôtt ! j'étais assuré que tu ne refuserais pas de nous aider. Tous les pochards de Québec t'en sauront gré ! Tu seras le Dieule-Père des ivrognes ! (Qui vient de chuchoter : "Tel fils, tel père !" ? Hein ?)

— Ecoute, Veilleux, je t'aime bien mais je t'interdis de m'apparenter à ta clique de soulauds.

— C'est l'enthousiasme, Dropaôtt !

— Eh ben ! ton enthousiasme, garde-le pour toi !

Sur ce, je lui donnai l'adresse de mon hôtel et je l'informai que j'empruntais, pour le temps de mon séjour, l'identité d'un certain Benoît Samson, membre de la pègre et chasseur de Phénix.

Je terminai en vitesse ma bière au jus de tomates. J'allais quitter les lieux quand une étrange intuition me saisit au cortex.

— Carmen Bizet, ça te dit quelque chose ?

Il réfléchit un long moment, en marmottant le nom. Il dit enfin :

— Ça serait pas une duchesse du Carnaval ? Celle de Montmorency ?

— Merci, Veilleux et salut !

Je comptais bien vérifier la chose dès que j'en aurais l'occasion.

Il était près de cinq heures, en ce mercredi après-midi. Je me rendis immédiatement aux bureaux du Carnaval. Dès mon arrivée, j'eus le bonheur d'apercevoir le groupe des duchesses ainsi que la Reine qui posaient pour une photo-souvenir. Les jeunes filles vivaient un rêve, celui de Cendrillon. Issues pour la plupart de familles pauvres, titulaires de petits emplois dégueulasses et sans avenir, elles trouvaient là l'occasion de se revaloriser et, qui sait ? de rencontrer le prince charmant qui les tirerait de leur végétement. D'ailleurs, on ne laissait rien au hasard afin de les entretenir dans leurs illusions : on les promenait dans les soirées mondaines, on leur faisait miroiter les splendeurs de la vie bourgeoise, on les comblait de cadeaux de toutes sortes qui, en fait, ne servaient qu'à promouvoir la raison sociale des commerçants de la ville. Ainsi, je notai que l'une des duchesses portait un nouveau maquillage, appelé "beurre de pin-up". C'est-y assez fard ?

Quant à la Reine, dois-je vous dire qu'elle rayonnait de beauté et de grâce et qu'elle aurait sans doute fait le bonheur d'un faux bourdon comme bibi. (Qui d'entre vous vient de chuchoter : "Il devrait dire *faux jeton* !" ?)

Enfin, je ne vous raconterai pas les splendeurs et les misères de ces courtisanes modernes que sont les duchesses du Carnaval, car vous avez sûrement eu l'occasion de voir le film *Le soleil a pas d'chance* (et si vous ne l'avez pas vu, vous avez manqué quelque chose !). Quatrième gression...

Je m'avançai vers la réception, où une mignonne hôtesse brassait de la paperasse. Je lui demandai de me conduire auprès de M. Mattheau. Avec un sourire divin, elle tira de sa poche une figurine du Bonhomme Carnaval qu'elle fixa à l'un des boutons de mon manteau.

— Tout le monde doit porter le Bonhomme Carnaval pendant les festivités. Sinon, vous risquez de vous retrouver à la prison du Palais de glace.

— C'est pas vrai ?

— Oui, c'est la coutume ici. Naturellement, vous n'y resteriez que quelques minutes... pour la forme !

— Ah bon ! j'aime mieux ça !

— Je vais vous conduire au bureau de M. Mattheau.

Je la suivis en scrutant avec plaisir son petit postérieur qui se trémoussait. Lorsque nous passâmes près des duchesses, elle se retourna et me dit :

— Qui dois-je annoncer ?

Bon ! les amis, vous me connaissez. Vous savez que la modestie est l'une de mes très nombreuses qualités et que je n'oserais jamais, au grand jamais, me servir de mon nom pour attirer l'attention des gens, n'est-ce-pas ? Je tenais à faire cette mise au point pour ne pas que vous imaginiez que j'ai fait exprès de clamer, devant l'essaim de filles qui m'entouraient : "Vous pouvez annoncer *Papartchu Dropaôtt* !" (En vérité, la phrase m'a échappé ! C'est vrai !!!)

A peine avais-je décliné mon identité, les duchesses se tournèrent vers moi en s'écriant :

— Papartchu Dropaôtt ?

Je pris la mine du type qui aurait préféré garder l'incognito (vous savez, l'air un peu gêné, le rose aux joues...) et j'avouai fièrement :

— En effet, c'est bien moi, le héros national des Québécois, le défenseur de la veuve joyeuse et de l'orphelin bâtard, le Robin des Bois des temps modernes, le Guillaume Tell des exploités, le Garibaldi des démunis et, aurais-je l'audace de le dire à de si charmantes jeunes femmes (à ce moment-là, je baissai les yeux !) : le gros matou, le Don Juan (ose en faire !), le séducteur infatigable, le chéri de ces dames, le Valentino du matelas, l'Apollon de la Belvédère (c'est que je fume beaucoup !), et enfin, l'Adonis à la grosse... feuille de vigne (de là, l'expression : être dur de la feuille)...

Les filles m'écoutaient religieusement, l'oeil vague et sensuel, les jambes flageolantes.

— Et si je ne me trompe pas, poursuivis-je, je me trouve en présence des plus belles Amazones de Québec, non ?

Il n'en fallait pas plus pour déclencher l'hystérie (vous connaissez les femmes ? Il suffit que vous soyez un héros et que vous condescendiez à leur faire un gentil compliment pour qu'elles vous tombent dans les bras). Je fus entouré, pressé, embrassé, câliné, caressé, cajolé, flatté... Elles semblaient toutes dire : "Choisis-moi !"

Vous savez à quel point je suis timide, hein ? ("Il se moque de moi !" que chuchote le boutonneux petit Pierrot qui a toutes les peines du monde à aborder le laideron qui habite à côté de chez lui.) Eh bien ! les embrassements spontanés des duchesses m'embarrassèrent tellement que j'oubliai de les inviter à me rendre une petite visite à mon hôtel.

"Enfin ! me dis-je. On ne peut pas tout avoir. La perfection n'est pas de ce monde !"

Je ne pus que balbutier aux beautés qui se pendaient à mes lèvres :

— Vous me combleriez de joie si vous m'autographiez des photos de chacune de vous.

— Et comment donc ? s'écrièrent-elles.

Puis, elles se présentèrent. J'appris que la duchesse de Montmorency (Carmen 1re) était bien la gonzesse du fils Allenchère. Et je dois vous avouer, sans parti pris aucun, qu'elle était la plus chouette de toutes (surtout, n'allez pas penser que je vais la souffler à mon copain Yvan – de quoi le faire virer complètement dingue !).

Les filles se mirent à me poser des questions sur ma vie, mes exploits, etc., mais nous fûmes bientôt interrompus par trois types qui s'infiltrèrent dans notre joyeuse bande. C'était le sieur Mattheau, accompagné de deux collègues, qui venait me chercher pour la conférence de presse.

Je suivis les misters en question jusqu'à une grande salle. Au passage, je rencontrai le Bonhomme Carnaval, qui me serra la main avec enthousiasme. Au fond, il était un peu jaloux, puisque mon arrivée l'avait relégué au second plan dans le coeur des duchesses. J'allais le saluer en empruntant l'expression agaçante qu'on me sert depuis le début de cette aventure, mais je me dis qu'il devait être lui-même à l'origine de cette forme de salutation tout à fait vulgaire. Pour le punir, je lui lançai, comme ça :

— Bonjour, monsieur !

— Tu peux me dire : "Salut, Bonhomme !", mon cher Dropaôtt ! répliqua-t-il de sa voix caverneuse.

— Très peu pour moi ! L'expression est trop commune.

Vous connaissez le Bonhomme Carnaval : il est aussi mégalomane que moi. Il reprit donc :

— C'est que je suis connu de par le monde, mon cher Dropaôtt !

— Ça reste à voir ! rétorquai-je.

Enfin, le président du Carnaval me prit par le bras et m'entraîna, car il sentit qu'une bagarre approchait. Ne mettez jamais en présence deux mégalomanes : ça risque de faire des flammèches. (Et puis, je lui aurais dit, moi, au Bonhomme Carnaval, qu'il avait l'air d'un eunuque de harem au milieu de ses duchesses — je crois qu'y a des gens de Québec qui ne l'ont pas aimé, celle-là !)

Je me retrouvai bientôt dans le bureau. Nous prîmes place en cercle autour de la table. Après m'être débarrassé de mon manteau, je me déclarai fin prêt à écouter les détails de l'affaire qu'on allait me confier.

Mattheau prit la parole :

— Mon cher monsieur Papartchu, après consultation avec mes collègues, j'ai pris la décision de faire appel à vous pour régler une affaire qui risque de causer beaucoup de tort à la réputation du Carnaval de Québec (limitée).

Le ton était à ce point ampoulé que je ne pus que répondre :

— Mon cher monsieur Mattheau, je mets toute mon ouïe à la disposition de votre faconde ou, si vous préférez : je vous écoute !

— Voilà ! Quelques semaines avant le début du Carnaval, des individus ont sollicité plusieurs commerçants de la ville au nom de notre organisation. Ils ont, semble-t-il, recueilli des sommes assez importantes, soit environ $5 000. Nous ne savons pas qui ils sont, ni comment ils sont parvenus à commettre leur forfait. Nous ne disposons là-dessus que d'indices très minces.

Enfin, vous comprenez que cette escroquerie risque d'entraver notre programme de financement des activités carnavalesques. Il serait donc urgent que vous retrouviez ces individus et que nous révélions à la population que ces gens ne sont que des criminels, travaillant pour leur propre compte et ayant tenté de se servir du Carnaval pour faire un coup d'argent.

— Vous avez parlé d'indices... suggérai-je.

Il me tendit une feuille de papier.

— Voici la liste de tous les commerçants à qui on a extorqué de l'argent. J'ai encerclé les noms de dix d'entre eux, qui pourraient vous mettre sur la piste des escrocs. Nous avons persuadé les marchands qu'il était préférable de ne pas dévoiler la chose avant votre intervention. D'ailleurs, si nous avons fait appel à vous, au lieu de confier sur-le-champ l'affaire à la police, c'est afin que l'escroquerie ne soit pas ébruitée. De plus, sachant que vous agissez habituellement avec célérité, nous espérons que vous serez en mesure de démasquer les coupables avant la clôture des festivités, la semaine prochaine. Acceptez-vous cette mission ?

— Oui, je le veux ! (Vous ne trouvez pas que ça ressemble à une cérémonie nuptiale ?)

— Voici donc une lettre de créance, qui vous ouvrira bien des portes, ainsi qu'un chèque de mille dollars pour défrayer vos dépenses pendant votre séjour à Québec.

— Voyons, messieurs ! répliquai-je. Vous savez bien que je ne travaille pas pour l'argent ! (Qui vient de chuchoter : "Pour des peanuts, alors ?" ?)

Ils insistèrent tellement que je dus empocher le chèque.

— Tout ça, c'est très beau, repris-je, mais j'aurais aimé garder l'incognito. Et je crois que je viens de faire une bourde en me présentant aux duchesses. (Un autre qui murmure : "C'est ça ! Avec sa manie de vouloir être admiré par tout le monde... Nono, va !" Ecoutez, vous autres, vous la bouclez ou quoi ?)

— Ce n'est pas grave, lança le président. Nous allons prévenir toutes les personnes que vous avez rencontrées ici et elles garderont le silence sur votre présence à Québec. (Hein, hein ? Ça vous en bouche un coin ?)

Je me levai.

— Parfait, messieurs ! Si les choses marchent rondement, je devrais pouvoir vous livrer ces voyous d'ici une semaine.

— Nous nous serrâmes la main.

— Merci encore, monsieur Papartchu !

— C'est moi qui vous remercie ! dis-je en tapotant la poche de mon manteau où j'avais glissé le chèque.

Je donnai l'adresse de mon hôtel ainsi que mon nom d'emprunt à Gilles Mattheau qui fut chargé d'assurer le contact avec bibi. Il inscrivit sur une carte de visite le numéro de téléphone de son bureau : 223-3222, poste 23 (à croire qu'ils ne savent compter que jusqu'à trois, les gens de Québec !).

Je quittai les lieux.

Les duchesses avaient disparu : elles avaient probablement un engagement (parade de mode ou quelque chose du genre). A la sortie, la réceptionniste me remit une enveloppe. Je ne pus résister à la tentation de l'ouvrir sur-le-champ. Elle contenait des photographies autographiées des petites mignonnes. Les phrases, griffonnées à l'endos, me firent chaud au coeur : "A mon héros Dropaôtt ! Gros becs !", "Merveilleux souvenir de ta rencontre !", "A Dropaôtt chéri !", "Nous pourrions faire de beaux petits ducs (et un numéro de téléphone) !", "Je suis reine d'un jour, mais tu seras dans mon coeur toujours !", etc.

"Ah ! comme il est doux d'être aimé !" me dis-je, le coeur embrasé, en retournant au froid.

Avant d'aller à l'hôtel, je décidai de visiter un peu. Je fis notamment une brève promenade sur la rue Sainte-Thérèse où je pus admirer de très beaux monuments de glace. La ville était en liesse. Qu'en serait-il le samedi soir, lors du défilé de nuit, apogée de cette grande manifestation ?

Mais je revins bientôt à la réalité et à mes trois enquêtes :

1. L'histoire d'alcool de Veilleux. Dans ce premier cas, je n'avais qu'à coordonner les efforts de la troupe de pochards.

2. Le fils Allenchère et le meurtre qu'il préméditait. A ce propos, je me dis qu'il ne fallait à aucun prix que je le rencontre en compagnie de sa donzelle de duchesse, car alors ma véritable identité lui serait automatiquement dévoilée.

3. Enfin, l'histoire des souscriptions frauduleuses et le contact à garder avec Mattheau.

Trois enquêtes. "Eh ben ! me dis-je, tu vas devoir ajuster tes flûtes, mon petit Dropaôtt. De la méthode, mon vieux ! Sinon, tu perdras la boule !" (Qui vient de chuchoter : "Inutile, c'est déjà fait !" ? Hum ?)

Avec tout ça, j'avais complètement oublié de prendre ma cuite traditionnelle. Certes, j'avais commencé à boire chez la veuve Allenchère, j'avais avalé quelques verres à la taverne *Cliché* ainsi que chez *Ti-Mé*, mais ces consommations espacées ne satisfaisaient en rien aux critères habituels de ma brosse.

"Une enquête sans cuite, ajoutai-je, ça présage très mal. C'est signe que je suis foutument embrouillé."

Je résolus donc de me diriger tout droit sur l'hôtel et de dîner tout en me cuitant. Ainsi, mes exégètes n'auraient rien à me reprocher.

"Bacchus, dans mes bras !"

* * *

Je fus reçu à l'hôtel par un gros lourdaud qui ne devait pas bouger de son comptoir de toute la journée.

— Une chambre ! lui signifiai-je afin qu'il ne se méprît pas sur mes intentions.

— Y en a plus ! riposta-t-il sur le même ton. Et vous aurez de la difficulté à en trouver une à Québec. C'est le Carnaval, vous savez ?

Ce gros porc tenait absolument à se faire engueuler.

— Ecoute, enflure ! Je veux une chambre. Je suis sûr qu'il t'en reste. C'est ma fraise qui ne te plaît pas ?

Il me jeta un coup d'oeil indifférent, se leva, se retira dans son bureau où, à ce qu'il me sembla, il fit un appel téléphonique. Il revint bientôt et cracha :

— Ce sera cinquante dollars.

— Hey ! hey ! hey ! tu me fais marcher, le tas ! Y a pas un seul de tes réduits à punaises qui vaut plus de quinze dollars.

— C'est à prendre ou à laisser.

Je pensai à ma cuite, à mon estomac qui

criait famine, et au chèque de mille dollars que j'avais en poche. Jc fus près de céder à son chantage. Puis, je me rappelai que l'anniversaire de Nicole approchait, qu'on était sur le point de majorer le prix de l'essence, et enfin que le gouvernement du Basutoland venait d'augmenter le prix à l'exportation des queues de lézard du désert (et moi, faut pas me priver de cette denrée !).

"Pas question de me faire rouler", me dis-je.

Je m'approchai du comptoir, je saisis le tas de merde au collet et je le soulevai.

— Ecoute, toi, emplâtre, tu vas me remettre la clé de la chambre 222, que je vois sur ton tableau, derrière.

— Elle est réservée !

— Fais voir tes fiches de réservation !

Il se rendit compte qu'il ne fallait pas jouer au plus fin avec bibi et il me remit la clé, ce qui prouvait bel et bien que la chambre 222 n'était pas plus réservée que le siège du Christ à la droite de son Père (j'ai déjà fait la réservation, directement à saint François le Sale, le comptable de Là-Haut). Je tirai vingt-cinq dollars de mon portefeuille et je le jetai sur le comptoir.

— Y a des menus dans la chambre ? m'enquis-je ensuite.

— Oui !

— Parfait ! Que le cuisinier se prépare... et le barman aussi !

Je quittai le vieux et je montai à ma piaule.

— Et la fiche d'inscription ? que me cria l'obèse.

Je me pliai à cette formalité, puis je chargeai personnellement mon gros copain d'acheminer les messages qui me seraient adressés.

Vingt minutes plus tard, j'étais mollement installé devant la télé; devant moi, à portée de la main, se tenaient, frémissantes, six bouteilles de bière décapsulées. Je saisis le téléphone et je passai la commande de mon repas : escargots, potage au chou, double filet mignon, deux bouteilles de vin et une petite bouteille de cognac (vous êtes satisfaits ? Je vous en promets toute une !).

Je n'avais pas sitôt raccroché qu'on frappa à la porte.

— Voyons ! ce n'est tout de même pas déjà prêt, dis-je comme ça.

Je me levai et j'allai répondre.

Deux mecs à l'air plutôt louche entrèrent, sans que je leur en eusse donné la permission.

— Salut, Bonhomme ! déclarèrent-ils en choeur. (Ah ! mais ce qu'ils sont emmerdants avec leur "Salut, Bonhomme !" !)

— Que voulez-vous ?

— Vingt-cinq dollars pour la chambre et un autre vingt-cinq pour nous avoir dérangés.

— Vos cinquante dollars, vous savez où vous les foutre ! répondis-je avec bravade.

Ils tirèrent leur revolver.

— Dis, tu veux tâter de ça ? gueula l'un d'eux.

— Vérifiez donc d'abord si vos pistolets à eau n'ont pas gelé pendant que vous étiez dehors ! répliquai-je. (Mes admiratrices sont en train de crier : "Dropaôtt, ne fais pas l'imbécile ! Ils sont sérieux !" Craignez rien, les mômes ! Votre chéri va s'en sortir, comme toujours.)

Le premier type s'avança et voulut me donner un coup de crosse sur la mâchoire. J'esquivai le coup et, en retour du cadeau qu'il avait tenté de me faire, je lui assénai un coup de karaté sur la nuque. Il s'écroula. L'autre hésita, mais je sentis que son doigt commençait à presser dangereusement la détente.

— Ecoute, vieux ! lui dis-je. Je suis un honnête homme. Je ne tiens pas à avoir d'histoires. Tu me remets dix dollars et je te laisse aller en paix, toi et ton copain ! (Un autre fan qui chuchote : "Faut-il qu'il soit baveux ?")

— D'accord ! répondit mon interlocuteur.

J'aurais dû me méfier de son ton trop conciliant. Il attendait que son collègue, étalé derrière moi, se relève. Ce qu'il fit bientôt.

C'est alors qu'ils me donnèrent la plus formidable raclée de toute ma vie. J'avoue cependant, en toute humilité, qu'ils ne s'en sortirent pas sans ecchymoses.

Enfin, ils me subtilisèrent tout le fric que j'avais dans mon portefeuille (environ cent dollars — je répartis toujours mon oseille en plusieurs endroits sur ma personne, pour les occasions comme celle-là) et me laissèrent, évanoui et la gueule sanguinolente, sur le tapis de la chambre.

Donc, les copains, si vous comptez bien à ma place (moi, je ne peux pas, je suis évanoui !), vous vous apercevrez que j'ai maintenant quatre enquêtes sur les bras, la dernière en lice me touchant de fort près. Et si vous réfléchissez un instant (quoique c'est peut-être trop vous demander), vous prendrez conscience que ma cuite est une fois de plus remise à plus tard et que tout ça présage encore plus mal que tantôt quant à la conclusion heureuse de cette histoire abracadabrante.

Sur ce, je vous laisse jusqu'au prochain chapitre car je sais que, lorsque je ne suis pas là, vous avez énormément de difficulté à penser. Je vous signale toutefois que je serai debout à dix heures demain matin et que, si vous n'êtes pas là, eh ben ! je commence sans vous !

CHAPITRE TROIS

Où Papartchu Dropaôtt est totalement emberlificoté, enfirouapé, embobeliné et enbôjoualvert...

IL EST DIX HEURES ! REVEILLEZ-VOUS !

Bon ! tout le monde est présent ? Ha ! ha ! j'en vois quelques-uns qui font la grasse matinée. Allons ! Debout, bande de paresseux ! Vous devriez pourtant savoir que l'avenir appartient à ceux qui se lèvent tôt (ou à ceux qui ne se couchent pas du tout !).

Ceci dit, passons à bibi qui, aux dernières nouvelles, reposait sur le tapis de la chambre. Eh ben ! le bibi en question se leva de fort méchante humeur et même dans un état d'esprit frôlant l'ire la plus italienne qui soit. Mais je vous parle, comme ça, d'un certain *bibi* et vous vous demandez sûrement qui c'est. Alors, pour ne pas que vous mélangiez les personnages (après tout, je ne suis pas un "nouveau romancier"), je vous signale immédiatement que bibi = moi = Papartchu Dropaôtt = le "je" du bouquin que vous avez entre les mains.

Je me levai donc de fort méchante humeur. Je

rampai jusqu'à la salle de bains car, dès que je posais le pied par terre, y avait comme un carillon de Notre-Dame qui me résonnait dans la tête. Je parvins à éponger ma figure ensanglantée, je m'offris une douche d'eau froide, je repris le contact avec la réalité. Mes esprits (le "bibi" de tout à l'heure) revinrent à "moi" et mon dédoublement de personnalité cessa momentanément.

En retournant dans la chambre, je constatai avec horreur qu'on s'y était livré à un véritable pillage. Heureusement, je me rendis compte qu'on n'avait pas découvert le chèque de mille dollars, que j'avais laissé dans mon manteau, et qu'on n'avait pas semblé prêter attention à mes cartes d'identité (ce qui aurait sans doute nui à mon incognito — le pauvre, il a déjà assez de problèmes comme ça !). Enfin, les voyous avaient pris la peine de m'écrire un petit billet doux : "La prochène foi, tu fra se con te di. Et surtou, va pas mettre la police dan le coup !" Les fautes d'orthographe me firent frissonner de dégoût. Qui pis est, mon malaise ne s'arrêta pas là : l'hôtelier avait tout de même fait monter mon repas (probablement pour me narguer !); les plats froids et figés me donnèrent des haut-le-coeur. Par bonheur, le liquide, lui, n'était pas figé.

Je glissai donc le mot d'amour des types dans mon portefeuille et, avant de commander mon petit déjeuner, je me versai une grande rasade de cognac. Mes idées s'éclaircirent aussitôt. Puis, je fis mes exercices et je me livrai à ma méditation.

Ah ! retour au naturel ! Il ne me restait plus

qu'à me bien bourrer la panse. Ce que je ne tardai pas à faire, tout en réfléchissant à l'étonnante situation à laquelle je faisais face : quatre enquêtes à mener. Quelles étaient les priorités ? Certes, en premier lieu, je devais m'attaquer à l'affaire de l'escroquerie : après tout, on m'avait payé pour ça et je me devais de ne pas tromper la confiance des dirigeants du Carnaval. Deuxièmement, il y avait Yvan qu'il ne fallait pas perdre de vue (sa maman ne me le pardonnerait jamais !). Ensuite, il y avait Veilleux et son histoire d'alcool; par bonheur, je n'avais pas à y intervenir directement. Enfin, ma dernière préoccupation touchait les loustics de l'hôtel à qui je comptais faire avaler leur dentier. Je tiens à vous signaler que, si je relègue ma satisfaction à la toute fin, c'est que je suis un type altruiste et que j'ai toujours fait passer le bien-être de mon prochain avant le mien. (Je sais, je sais : "Charité bien ordonnée... et patati et patata !" Mais ces maximes-là, ça vaut pour vous autres, bande d'égocentriques. Sachez qu'un héros, lui, ne peut se permettre d'être égoïste !)

Ceci dit, je m'apprêtais à me mettre en campagne, quand le téléphone sonna. C'était Veilleux :

— Alors, comment se présente ton enquête ? demandai-je.

— Pas si mal. Voici mon rapport sur ce que j'ai appris jusqu'ici. Premièrement, la Société des Alcools dispose de deux entrepôts, l'un à Québec, l'autre à Montréal. C'est là qu'aboutissent les livraisons d'alcool effectuées par les compagnies de fabrication. A Montréal et à Québec, la Société possède en outre sa propre flotte de camions pour la distribution dans les succursales de la périphérie. Quant aux régions éloignées, les livraisons sont assurées par des compagnies de transport privées.

— Donc, ceux qui ont monté l'affaire ont forcément agi à partir de l'entrepôt de Québec.

— Non, puisque le Carnaval crée des conditions spéciales de vente et, par conséquent, de stockage. En fait, il y a un mois, on a fait transférer de Montréal un important chargement d'alcool, spécialement destiné aux festivités du Carnaval.

— Et alors ?

— Alors ? Le transfert a été confié à une compagnie de transport privée, la P.E.T. (Proulx et Tetley), qui oeuvre à la fois dans la Métropole et dans la Vieille Capitale. Ce qui est étonnant et qui donne à penser que mon hypothèse de fraude est tout à fait fondée, c'est que le voyage entre les deux villes a duré 7 heures au lieu de trois... Tu ne trouves pas ça étrange ?

— Oui, et c'est du beau travail que vous avez fait là !

— Merci ! Et maintenant, qu'est-ce qu'on fait ?

— Très simple ! Vous vous infiltrez chez Proulx et Tetley et vous essayez d'obtenir des renseignements sur la livraison et surtout sur les raisons du fameux retard. Je crois que vous êtes sur la bonne piste.

— Parfait, Dropaôtt ! Nous allons suivre tes directives à la lettre.

— C'est tout ce que tu désirais, Veilleux ?

— Oui !

— Alors, salut et tiens-moi au courant !

Je raccrochai.

Je réfléchis quelques instants à la gigantesque organisation qu'on avait dû mettre sur pied pour mener à bien l'opération "Alcool", et j'en conclus que le crime n'avait plus de frontières. Le mot "crime" me rappela le jeune Yvan. Je décidai de lui donner un coup de fil, histoire de savoir s'il était toujours vivant.

— Salut, Bonhomme ! me dit-il en guise d'introduction. (Non, mais c'est pas fini, ces "Salut, Bonhomme !" ?)

— Ouais ! salut ! répliquai-je.

— As-tu retrouvé ton pigeon ?

— Mon phénix, tu veux dire !

— Phénix ou pigeon, c'est la même chose ! (Vous voyez ce que c'est que la culture à bon marché, hein ?)

Je m'apprêtai à lui donner un cours sur la mythologie, mais je réussis à me persuader que je n'en avais pas le temps.

— Non ! je ne l'ai pas retrouvé ! lançai-je simplement. Et toi, as-tu déniché ton cochon ?

— Non, mais j'attends des nouvelles à ce propos. Que dirais-tu si on se rencontrait ce soir ?

J'acquiesçai et nous nous donnâmes rendez-vous au *Caillou*, 1re avenue. D'ailleurs, Yvan devait voir un mec au Colisée et cette boîte n'en est pas très éloignée. Je lui demandai si sa donzelle serait présente, il répondit que non. Tout était au poil !

En raccrochant, je me dis que cette fois-là personne au monde ne pourrait me faire rater ma cuite traditionnelle (même pas vous autres ! Alors imaginez à quel point je suis sérieux).

Après avoir revêtu mon costume safari pour

cette première incursion dans la jungle carnavalesque de Québec, je quittai ma chambre et je sortis de l'hôtel en passant par la réception. Le gros tas de la veille me jeta, narquois :

— Vous avez passé une bonne nuit ?

— Splendide, gros ! J'ai joué du pistolet avec deux charmantes poulettes !

— A voir vos ecchymoses au visage, ce fut une nuit plutôt mouvementée.

— Attends encore quelques jours, bouboule, et je t'en ferai passer une tout aussi agréable !

Sur ce, je tirai de ma poche cinquante dollars que je lui lançai à la figure. L'obèse en demeura interdit, croyant que ses tueurs m'avaient complètement dépouillé.

— Tiens, enflure ! Je reste une journée de plus. Et tu pourras dire à tes sbires que s'ils ont de gros muscles, c'est un courant d'air qui leur circule entre les deux oreilles...

— Ah ! monsieur, rétorqua le vieux. Je ne savais pas que mon *honnête* établissement accueillait un clown. Dans quel cirque faites-vous vos pitreries ?

Je préférai ne pas répondre et je sortis. (Notez bien que l'agressivité que je viens de refouler aura le temps de se multiplier par dix d'ici à ce que je lui règle son compte !)

Je me rendis donc tout d'abord chez un marchand de la rue St-Joseph, plus précisément le proprio d'un magasin de tabac dont le commerce me parut très prospère. C'est que le bonhomme ne vendait pas que des cigarettes : il tenait aussi un petit centre illicite d'amusement pour V.I.P. (non, c'est pas "Very Important Person", c'est plutôt "Voyeurs, Invertis & Pervers"). En fait, on trouvait chez M. Prudhomme tout le matériel porno qu'un type de l'acabit susmentionné pouvait désirer... et à des prix très concurrentiels, comme me l'affirma le proxénète de ces dames (sur papier glacé !).

Je signale à ceux d'entre vous qui aimeraient visiter l'arrière-boutique ou, si vous préférez, le "capharnaüm" (comme diraient MM. Homais et Chicoine), qu'ils n'ont qu'à employer la méthode suivante : 1. Se planter devant le casier de revues cochonnes "permises" et en feuilleter quelques-unes. 2. Jeter de temps à autre un coup d'oeil au proprio, qui est installé derrière sa caisse. 3. Lorsque vous serez seul à seul dans le magasin, il vous dira : "Vous avez trouvé ce que vous cherchez ?" 4. Vous devrez répondre en considérant de façon méprisante le stock étalé devant vous : "Vous n'avez rien d'autre ?" Et le tour sera joué ! Vous voyez comme je suis gentil !!! Le problème, c'est que le bonhomme va probablement changer de code quand il apprendra que j'ai divulgué le sien (rapport aux flics de la moralité et autres poulets qui lisent tous mes bouquins dans l'espoir d'y découvrir de nouveaux trucs pour pincer les méchants). N'empêche qu'il s'agissait là d'une cinquième gression qui valait la peine d'être faite, non ?

Ceci dit, je me retrouvai bientôt dans le "salon de luxure" où j'abordai avec le marchand l'importante question de l'extorsion. Et je vous jure qu'il n'était pas facile pour moi d'en parler quand j'avais devant moi une myriade de couvertures de revues du genre *Eight years old sex*, *S&M Fun*, *Ménage à trois ou la Ménagère apprivoisée (de Shakespeare)*, *Vincent*, *François et la vôtre*, etc. Ah ! Jusques où (que zoo !) ira la perversion humaine, je vous le demande ? Et vous n'êtes pas obligés de me répondre...

M. Prudhomme m'informa qu'il avait fait son don en liquide, mais qu'on lui avait remis un reçu. Il mentionna également que les bandits se servaient d'une carte d'affaires en guise d'introduction. Je le priai de me laisser le reçu qu'on lui avait signé. Le voici :

S.C. Québec Ltée
450, rue x(*&¿ ¡Xxt — Le 25/7/76
Québec G2Z P7R

Reçu de M. Clément Prudhomme

La somme de vingt-cinq — xx/00 dollars
($25.00)

Jean Duguay
représentant officiel

IMPRIMERIE LIMOILOU

Le nom de l'imprimeur, qui figurait au bas de la feuille, me fournit une piste intéressante. Je n'avais donc qu'à suivre le fil d'Ariane, en espérant qu'il me menât à la sortie du labyrinthe et non au Minotaure.

Enfin, la description que Prudhomme me fit de l'escroc était à ce point vague qu'elle ne me fut d'aucune utilité. Avant que je ne quitte les lieux, il essaya de me vendre quelques-unes de ses meilleures revues, mais je déclinai son offre (bibi est plutôt du genre "passons à l'acte !").

Le deuxième commerçant à qui je rendis visite avait été plus prudent : il avait payé par chèque... ce qui ne l'avait pas empêché de se faire piquer vingt-cinq tomates, lui aussi. J'appris que le chèque avait été encaissé dans une banque de Québec, plus précisément à la Caisse populaire de St-Charles, dont j'obtins l'adresse.

Après avoir rencontré dix marchands, je décidai de mettre un terme à ma "visite paroissiale". Assis dans un petit restaurant miteux et dégustant un café-eau-de-vaisselle, je fis le bilan de ma quête de renseignements :

1. J'avais en ma possession quatre reçus qui portaient tous la signature de Jean Duguay, mais aucun d'eux n'avait été écrit de la même main.

2. J'avais pu obtenir une des fameuses cartes d'affaires dont s'étaient servis les voyous :

> S.C. Québec Ltée
>
> Société du Carnaval de Québec
> limitée
>
> J. Duguay — 450, rue xX ¡(&/
> rep. officiel — Québec
> G2Z P7R

3. Les descriptions des voleurs variaient d'un commerçant à l'autre : ils étaient donc plusieurs.

4. Deux pistes s'offraient à moi :

— l'imprimerie Limoilou;
— la Caisse populaire St-Charles.

Je débutai par l'imprimeur. Les résultats furent plutôt médiocres : la commande de reçus avait été passée de vive voix et la note, réglée en espèces. Sur le bulletin de commande, une adresse sur la 4e avenue attira mon attention, mais elle devait sûrement être fausse. Je la notai tout de même. Enfin, on me fit une description assez détaillée du client, ce qui me permit d'esquisser un portrait-robot.

Avant de me rendre à la banque, étape suivante de mon pèlerinage, je m'arrêtai à une brasserie pour me sustenter.

A deux heures, je faisais mon entrée à la succursale bancaire (heureusement qu'il s'agissait d'une Caisse pop, car vous connaissez ma phobie des banques !). J'en profitai pour encaisser le chèque que la direction du Carnaval m'avait gracieusement remis. Puis, grâce à ma lettre de créance et, surtout, à la réputation d'honnêteté que véhicule mon nom, j'eus accès aux renseignements que je désirais. Tout devint clair, éblouissant comme pour l'aveugle de la taverne (*Ti-Mé*, dont le proprio est, je vous le rappelle, un certain Platon !); le coup avait été monté avec une minutie et un doigté remarquables : deux mois avant le début du Carnaval, un type du nom de Jean Duguay se rend chez deux imprimeurs; chez le premier, il passe une commande de reçus et chez l'autre, une commande de cartes d'affaires. Puis, il ouvre un compte dans une banque. Il s'inscrit sous le nom d'une nouvelle société dont la raison sociale est "Serge Côté, Québec ltée" (pour la commodité, on dira en abréviation "S.C. Québec ltée"). En cas de besoin, le lascar est d'ailleurs en mesure de produire de faux papiers sur sa compagnie et sur sa propre identité, car il est à la fois M. X., M. Jean Duguay et M. Serge Côté. Enfin, le monsieur en question dépose dans le compte une somme de $500 qui constituera une sorte de garantie lors de l'encaissement des chèques perçus chez les commerçants.

Arrive le jour "J". L'opération se déroule rapidement (deux jours au maximum) et les chèques sont encaissés aussitôt reçus. L'opération terminée, le type retire sa mise de fonds; il ne laisse dans le compte qu'un maigre $5. Toute l'astuce du projet tenait donc à un jeu d'initiales : il s'agissait d'inciter les marchands à établir leur chèque à l'ordre de "S.C. Québec ltée" (de toute façon, le nom au complet tient difficilement dans l'espace réservé au bénéficiaire du chèque). Et voilà !

Tout ça, c'était bien beau, mais moi, où en étais-je avec mon enquête ? Eh ben ! Premièrement, la description du type, qu'on me fit à la Caisse, correspondait en tous points à celle que m'avait faite l'imprimeur (ce mec était probablement le chef de la bande). Deuxièmement, on me fournit une deuxième adresse, celle-là, rue des Saules.

Je n'avais qu'à suivre la piste. Je me rendis rue des Saules. Adresse inexistante ! (Je m'en doutais un peu, vous savez !) Quant à celle de la 4e avenue, elle abritait un cabinet de dentiste.

"Qui risque rien n'a rien !" me dis-je, et je décidai de rendre une petite visite à l'arracheur de dents, même si c'est là une autre de mes phobies, comme bon nombre d'entre vous d'ailleurs. Pourquoi ? Parce que l'être humain a horreur des gens qui le font souffrir physiquement. Là-dessus, vous me direz que "la moitié du monde est une femme" et que, par conséquent, "la moitié du monde est masochiste"... mais, comme je n'ai pas le temps de discuter avec vous de l'insipide question féministe, je ne répondrai pas à votre objection pour le moins inopportune.

Le type que je rencontrai, le docteur Henri Fèmoimal, faisait partie de cette merveilleuse catégorie de médecins qui ne fixent pas de rendez-vous (et je vous jure qu'il en faut de ces mecs, surtout lorsqu'une rage de dents vous surprend et que votre aimable dentiste ne peut vous offrir un rendez-vous que dans six mois).

Le docteur entama la conversation d'une façon plutôt étrange :

— Si vous saviez comme j'ai mal aux dents, ces temps-ci, me déclara-t-il, l'air piteux.

— Vous n'avez qu'à aller voir un de vos confrères ?

— J'ai bien trop peur des dentistes.

— Bon ! m'exclamai-je. Cessons ces facéties et dites-moi ce que je vous veux. Attendez ! Non, c'est pas tout à fait la bonne réplique, ça !

— Quelle réplique ? répliqua-t-il.

— Voyons ! Vous ne vous rendez pas compte que vous êtes dans une histoire et que vous n'êtes qu'un personnage de roman, ripostai-je, comme ça, afin de lui faire sentir qu'il vivait une existence très éphémère.

— Ah oui ! c'est vrai ! Excusez-moi ! Vous savez, si j'étire le temps, c'est pour que mon rôle atteigne au moins dix répliques.

— Pourquoi *dix* répliques ?

— Voyons, monsieur Papartchu ! A dix répliques, je passe au double tarif. Et, pour un comédien, ça devient un cachet intéressant.

— Ecoutez, rétorquai-je. Cessez de mêler mes lecteurs. Vous dites que vous êtes dentiste, puis comédien. Branchez-vous !

— Mais vous ne comprenez pas ! Je suis un faux dentiste. J'ai obtenu un rôle dans votre roman. Vous ne vous rappelez pas ? Vous m'avez engagé, il y a de ça deux semaines... Aux auditions, vous m'avez dit que j'avais une gueule de dentiste et que vous essaieriez de me trouver une place dans la distribution.

— Ah oui ! je me souviens maintenant. Donc, vous voulez dix répliques ? Où en sommes-nous?

— C'est ma neuvième !

— Bon ! Eh bien ! je vais voir si je peux vous en accorder dix.

Je me rendis au téléphone et j'appelai mon producteur-éditeur, lui demandant l'autorisation d'accorder dix répliques à mon comédien-dentiste.

— De toute façon, nono, qu'il me dit, comme ça, tu n'as pas le choix. Tu ne l'as même pas encore interrogé à propos de l'escroquerie. Si tu étais entré tout de suite dans le vif du sujet, aussi... trois ou quatre répliques auraient suffi. Mais non ! il a fallu que tu t'amuses, comme toujours... et aux dépens de mon fric ! L'argent ne pousse pas dans les arbres, tu sais ! Ce n'est pas parce que tu es le seul poulain rentable de mon écurie qu'il...

Je raccrochai et je le laissai poursuivre son monologue en toute solitude. Lui et ses histoires de fric ! Il est en voie de devenir millionnaire grâce à mes bouquins et il faut encore qu'il me tombe sur la frime dès que je lui parle de foin !

Enfin, pour revenir à mon comédien-dentiste, je lui lançai :

— Le producteur dit que c'est O.K. De toute façon, on est à neuf répliques et je ne t'ai pas encore demandé le principal.

Je tirai de ma poche le portrait-robot que j'avais exécuté et je le lui tendis :

— Alors, docteur Fèmoimal, qu'en pensez-vous ?

— Vous ne savez pas dessiner, M. Papartchu !

— Imbécile ! C'est pas ce que tu dois dire ! Je recommence : Alors, docteur Fèmoimal, qu'en pensez-vous ? Cette tronche vous est-elle familière ?

Il hésita, puis jeta d'un air sérieux :

— Ah ! Je le reconnaîtrais plus facilement si vous me faisiez voir sa dentition !

— Donc, ce portrait ne vous dit rien ?

— Quand bien même il me parlerait...

Il fixa le dessin et s'exclama : "Hein ? Comment tu t'appelles, toi ? T'es-tu déjà venu ici ?"

Je lui arrachai l'esquisse des mains. Nul doute que j'avais affaire à un dentiste fou. Mon enquête aboutissait donc là, dans un cul-de-sac obscur. Je m'apprêtai à sortir. Fèmoimal me dit :

— Attendez un peu ! Faites voir encore le portrait.

Je le lui tendis de nouveau, en désespoir de cause.

— Mais oui ! mais oui ! Je le reconnais à présent. Il est venu ici, il y a environ un mois. Il voulait se faire arracher une molaire ou quelque chose comme ça.

— Vous vous souvenez de son nom ? exultai-je.

— C'était un nom assez commun... Voyons !...

— Vous a-t-il payé par chèque ?

— Non ! Comptant !

— Ne possédez-vous pas un registre quelconque dans lequel vous inscrivez le nom de vos clients ?

— Non !

— Vous lui avez bien fait un reçu...

— Il n'en a pas demandé.

— Alors, ce nom ? Il vous revient ?

— Oui, oui, c'est ça ! Serge Côté, qu'il s'appelait.

J'eus envie de lui mettre mon poing sur la figure. Tout ce fla-fla pour apprendre que le voyou s'était là aussi servi de son nom d'emprunt. Je décidai de ne pas m'attarder dans ce cabinet de malheur.

— Au revoir, monsieur, et merci ! me dit le dentiste.

Je me retournai.

— Pourquoi "merci" ?

— Parce que je viens de passer le cap des vingt répliques et que j'ai donc atteint le triple tarif.

Je grommelai quelques sacres et je sortis en claquant la porte. Et on affirme que les comédiens sont mal payés ! Vous voyez comme ils savent s'arranger, hein ?

"Eh ben, me dis-je, c'est mon éditeur-producteur qui va voir rouge. Il pourrait tout aussi bien me couper deux ou trois heures de tournage (non, non ! ne vous en faites pas ! Le bouquin aura une fin, avec un F-I-N, un générique et tout et tout). Et s'il n'accélère pas le dénouement, c'est qu'il voudra abréger mon chapitre érotique, et chacun sait qu'un *Papartchu Dropaôtt* sans chapitre érotique, c'est comme un *Playboy* sans *playmate* : ça devient trop *intellectuel*. Enfin, conclus-je, qui vivra, verrat ! comme dirait la maman Truie à qui l'on doit faire une césarienne."

Ceci pensé, je me rendis compte qu'il commençait à se faire tard et que mon estomac réclamait son lolo. Je résolus de me payer une autre bouffe, à la Haute-Ville, cette fois. Je choisis *le Petit Coin breton*, rue St-Jean (voilà, m'sieur Chose ! la réclame est faite. Et merci encore pour le repas gratuit !). Tout en m'offrant quelques apéros avant d'entreprendre un ravage dans le menu de crêpes, je me dis que Nicole était partie depuis bientôt deux semaines, que je n'avais pas rencontré de demoiselles complaisantes dans l'intervalle et enfin, que je commençais à ressentir un genre de chatouillement au sud de la région ombilicale. (Quel est l'imbécile qui vient de chuchoter : "Y a une fille qui lui a fait l'honneur de... Il est donc un "gars honoré" de cinq ou six philis !" ? Ecoute, toi, tu vas me faire le plaisir de la boucler, compris ?)

"Et si je faisais la cour à une serveuse ?" que je me murmurai, comme ça, dans le creux de l'orteil (là où y a parfois de la confiture !).

Je m'empressai de mettre à exécution mon projet épidermique. D'ailleurs, la donzelle qui me servait possédait tout ce qu'il fallait pour rendre heureux votre humble serviteur. Ainsi par conséquent donc, je m'affublai de mon masque de séducteur et je fus, tout au long du repas, enjôleur au possible. Au dessert, je glissai à la charmante Denise :

— Hé, merveilleuse nymphe ! Ne te serait-il pas agréable de faire l'amour avec Papartchu Dropaôtt ?

Elle rougit, se gonfla et rugit :

— Avec quoi ? Ecoute, maudit pervers, j'aurais peut-être été d'accord pour faire l'amour avec toi, mais pas avec tes bébelles de sex-shop. Je suis une fille normale, moi !

— Non, non ! Tu n'as rien compris ! Papartchu Dropaôtt, c'est mon nom !

Elle se radoucit.

— Mais alors, reprit-elle, tu es un "importé" ? Moi, j'aime pas les "importés".

— Je sais, les habitants de Québec sont très xénophobes. Mais, là n'est pas la question, car je suis Québécois pure laine.

— Alors, c'est tes ancêtres qui viennent d'Afrique ?

— Les tiens, ils viennent d'où ? répliquai-je sèchement, légèrement froissé par sa question précédente.

— De France, bien sûr !

— Eh ben ! les miens aussi. Et de Grenoble, si tu veux savoir.

C'est vous dire toutes les explications, justifications, éclaircissements qu'il faut donner pour convaincre une Québécoise d'aller au lit avec vous. Avis aux Montréalais qui portent des noms étranges ! Si vous vous rendez à Québec avec l'intention de vous payer du bon temps, n'oubliez pas d'apporter votre arbre généalogique.

De toute façon, cette tentative de séduction aboutit à quoi, vous pensez ? A rien. La donzelle m'affirma qu'elle n'aurait pas pu ce soir-là : après le travail, elle recevait chez elle cinq clients (elle tirait du commerce de ses charmes un revenu d'appoint qui lui permettait d'étudier à l'Université).

Je quittai donc le restaurant bredouille et je retrouvai le copain Yvan qui m'attendait au *Caillou*.

— Et puis, me dit-il, tu as retrouvé ton type ?

— Je suis près du but. Et le tien ?

— Je dois rencontrer un mec au Colisée dans une demi-heure. Si tu veux m'accompagner, t'as beau !

— D'accord ! Au fait, j'ai appris que ta donzelle est duchesse...

— Comment tu l'as su ?

— Par le journal. Donc, ton histoire est en rapport avec le Carnaval, non ?

— Je préfère ne pas en parler.

"Cause toujours, mon lapin ! que je me chuchotai, comme ça. Tout à l'heure, tu seras soûl comme un poète alcoolique et je saurai bien alors te tirer les vers du nez."

Après avoir ingurgité une première bière, nous prîmes la direction du Colisée où se tenait le *Tournoi international de hockey Pee-Wee*. Nous eûmes l'occasion d'assister à quelques péripéties d'un match disputé entre une équipe du Québec et une de l'Ontario. Mes amis, comme différence, c'était ahurissant ! A croire que nos jeunes sont sous-alimentés et que les mioches de la province d'à côté bouffent de la levure et de la potée pour engraisser les cochons. Y en a qui ont à peine douze ans et qui font dans les deux mètres (j'ai comme l'impression qu'on les passe de temps à autre dans la machine à écarteler !). Heureusement, si nos petits avortons ne font pas le poids, ils compensent fichtrement par leur adresse et leur intelligence, deux qualités dont les Ontariens sont aussi dotés, mais dans une mesure inversement proportionnelle à leur taille.

Enfin, cette sixième gression étant faite, nous nous mîmes, Yvan et moi, à la recherche du mec qu'il devait rencontrer. Les couloirs se peuplaient de jeunes de quatorze ou quinze ans, affalés, pour la plupart soûls ou gelés, et qui s'adonnaient avec des filles du même âge à des jeux pour le moins vicieux (quand on pense que les profits des "Pee-Wee" vont au "Patro", on peut se demander ce que le Patro fait pour les jeunes !).

Une fausse blonde, qui n'avait pas plus de seize ans, m'accosta près d'un restaurant; son maquillage extravagant, le noir qui courait de chaque côté de la séparation de ses cheveux et qui envahissait rapidement l'or sale de sa coiffure, son court manteau bleu marine, ses jeans délavés et près d'éclater, tout son être me rappela avec tristesse *la Petite Fille aux allumettes*. Mais ce n'était pas des allumettes que la pauvrette vendait :

— Dis, m'sieur, tu m'paies un hot-dog et des frites pour voir !

— Pour voir quoi, chère enfant ? m'enquis-je, la larme à l'oeil devant un tel dénuement.

— Ça ! répondit-elle en écartant les pans de son manteau.

Sous le gilet se devinaient des formes déjà mûres.

— Et tu pourras même toucher, si t'ajoutes un Coke et un hamburger ! continua-t-elle. Son visage, tout à l'heure angélique (peut-être dans mon esprit !), se couvrait à présent d'une ombre de perversion.

Je glissai dix dollars dans la main de la précoce courtisane.

— Tiens ! Et que je ne te voie plus faire des choses pareilles, malheureuse enfant ! Tu risques d'y perdre ta vie, tu sais !

Elle sourit malicieusement, fit un signe à quelques pouilleux de ses amis, qui attendaient non loin de là, et me dit, avant de partir :

— Merci, m'sieur ! Mais tu manques quelque chose !

Je m'éloignai avec Yvan, l'âme retournée, songeant encore à *la Petite Fille aux allumettes* et à toutes ces histoires merveilleuses (comme *la Petite Sirène* d'Andersen) qui avaient bercé mon enfance. Ah ! où sont donc mes contes de fées ?

Nous trouvâmes bientôt le "contact" d'Yvan. Il était entouré de gens qui semblaient parier sur les matches de hockey. (Eh oui ! voilà que les jeunes servent à engraisser les bookmakers ! C'est-y pas désolant ?)

Enfin, les parieurs se dispersèrent et Yvan put aborder le type. Leur conversation se déroula de nouveau en code, mais je pus saisir les grandes lignes du dialogue : le bookmaker avait servi d'agent de liaison entre Yvan et le dénommé Cochon; Yvan désirait savoir où créchait Cochon; le mec réclama $200 pour lui procurer le renseignement; l'affaire fut conclue; mon copain devait revenir le lendemain au même endroit et on lui communiquerait l'adresse de Cochon.

Nous retournâmes au *Caillou*.

* * *

Après avoir ingurgité une dizaine de bières, nous étions comme qui dirait dans les vapes, le cerveau aiguillé depuis longtemps sur une voie de garage... Yvan davantage que votre bibi chéri, car chacun sait que, même lorsque je suis "chaud", je peux garder la tête froide. Je n'eus donc pas de grands efforts à déployer pour mettre en marche la machine-à-confidences du fils Allenchère. Je vais le laisser blablater un peu en direct... Ça me permettra de me reposer la plume pendant un instant.

— Moi, je suis *pusher*, vois-tu ? Je suis affilié à Jean Saity pour le commerce de la drogue. Il a lui-même obtenu une concession de territoire d'Alain Bondu. Et en haut de la pyramide, y a Johnny Ravioli, qui est le grand patron.

— Donc, interrompis-je, il s'agit en quelque sorte du réseau Saity-Bondu-Ravioli ?

— Exact ! Moi, là-dedans, j'ai ma propre concession, c'est-à-dire que je peux acheter de la drogue en gros et la revendre.

— A quelles conditions travailles-tu ?

— Eh ben ! je donne un pourcentage sur mes profits et, en outre, je dois parfois faire des voyages spéciaux pour traverser de la drogue à la frontière.

— Qu'est-ce que ton travail a à voir avec ta

donzelle ?

— J'y arrive. Il y a trois mois, ma fille m'a dit qu'elle voulait être duchesse. Je suis donc entré en contact avec des types que je connais à Québec. J'ai appris que Carmen pouvait être nommée duchesse et même reine, si elle suivait le bon chemin. Je me suis mis en rapport avec un bonhomme qui était lui-même en rapport avec un certain Cauchon.

— Ah ! c'est lui, le *Cochon* dont tu parlais ?

— Exact ! Semble-t-il que Cauchon était disposé à tout arranger. Ma Carmen n'avait que deux choses à faire : poser sa candidature et coucher avec un des organisateurs du duché...

— Tu dis bien "coucher" ?

— Ben oui !

— Et vous avez accepté ça, tous les deux ?

— C'est pas ça qui allait la tuer, hein ? Et puis, je connais ma Carmen ! Elle voulait devenir duchesse et elle était prête à tout pour y parvenir. T'sais, sa famille est pas riche. Ils ont toujours vécu dans la pauvreté. Carmen a dû travailler très jeune, comme serveuse, danseuse *topless*, etc. Alors, pour elle, c'est une chance d'en sortir et surtout de réaliser un rêve qu'elle nourrissait depuis son enfance. Elle sait aussi que moi, les vedettes de cinéma, les mannequins, j'adore ça... Elle désirait être digne de moi, être à la mesure de mes rêves... (Allons, les amis ! Séchez vos larmes ! Vous interrompez Yvan avec vos gémissements !) Tu comprends que j'ai pas hésité à l'aider !

— Ainsi, elle s'est inscrite et elle a couché avec un bonhomme.

— Exact ! Et elle a été choisie. Mais moi,

vois-tu, je souhaitais qu'elle monte plus haut, qu'elle soit la reine du Carnaval. Cauchon m'a fait dire que pour mille dollars, il pourrait peut-être arranger l'élection de la reine à l'avantage de ma fille. Mille dollars et puis...

— ...Coucher avec ta donzelle ?

— Exact ! Nous avons accepté. C'est alors que j'ai appris que l'élection de la reine était arrangée de toute façon, parce que, vois-tu, Cauchon a établi un réseau de paris à ce propos. Je me suis dit : "Tout est parfait ! Ma Carmen va gagner." D'ailleurs, Cauchon avait donné sa parole. A ce moment-là, j'ai reçu un appel de Montréal : je devais faire un voyage de trois semaines aux Etats pour chercher de la drogue.

— Et tu n'as su les résultats de l'élection qu'en revenant, il y a deux jours...

— Exact ! J'ai tout de suite décidé de descendre à Québec. Comme je n'avais pas de liquidités, j'ai piqué de l'argent à ma vieille mère. Puis, je me suis acheté un *gun* parce que je voulais faire payer à Cauchon son manque de parole. En arrivant ici, je suis de nouveau entré en contact avec le type de tout à l'heure. Cauchon m'a fait dire qu'il n'avait pas pu faire gagner le duché de Montmorency, car les gains n'auraient pas été assez importants. Tu comprends, il fallait faire gagner le duché où la cote était la meilleure.

— Je comprends ! Et Montmorency n'était pas un duché rentable !

— C'est ça ! Tu sais, les paris sur l'élection de la reine rapportent pas mal d'argent. Cette année, les profits ont été d'environ $50 000.

— J'ai encore peine à croire qu'on puisse arranger l'élection... Avec toutes les précautions qui sont prises, le procédé des capsules, etc.

— Vieux, il est possible de truquer n'importe quoi !

— Puisque tu le dis ! Mais, continue ton histoire...

— Donc, moi, quand j'ai su pourquoi Carmen n'avait pas été élue, j'ai accepté de passer l'éponge... à condition que Cauchon me remette mon mille dollars. Je me suis informé et il ne veut pas me rendre mon argent. Alors, demain, quand je connaîtrai son adresse, j'irai le descendre.

— Tu ne trouves pas ça un peu con ? A présent que tu es au courant de toutes ses manigances, tu n'aurais qu'à le dénoncer aux flics et tu serais autrement mieux vengé.

Yvan me regarda avec un drôle d'air et je compris que je venais de faire une gaffe. Ne parlez jamais de la police à des types de la pègre ! La dénonciation, c'est une chose qui ne se fait pas et qui est punie de mort. Le code d'éthique est strict là-dessus. Par bonheur, le copain était pas mal soûl. Je n'eus qu'à éclater de rire en affirmant que ce n'était qu'une plaisanterie pour que tous ses soupçons s'évanouissent.

Eh ben ! je ne sais pas si vous êtes comme moi, mais y a un tas d'illusions d'enfance qui viennent de basculer dans mon esprit. Pour moi, les duchesses du Carnaval étaient de mignonnes ingénues, choisies pour leur beauté, leur sagesse, leur personnalité. J'étais disposé à concéder qu'une certaine symbolique sexuelle s'attachait au choix et même à la fonction des duchesses, mais de là à penser... Ah ! où sont donc mes contes de fées ?

Comme par hasard, une chanson jouait à la radio. C'était le *hit* de la saison, sur un texte de mon très talentueux copain Roger Cormier. Ça allait comme ceci :

Des Blanche-Neige qui font du trottoir
Pour arrondir leur fin d'semaine
Ces Belles au bois dormant d'un soir
Ont pris du lard dessous leur gaine...

Un P'tit Poucet qui passe le doigt
Entre les cuisses du Chaperon rouge
Et qui lui d'mande si ce qu'elle voit
Devient plus gros quand elle le bouge...

Ensuite, y avait le refrain qui disait :

On m'a volé mes contes de fées
On en a fait d'la confiture
Qu'on voudrait bien me faire bouffer
Mais que j'leur jette à la figure...

C'est pas bien, ça ? Bravo, Roger ! Et merci de m'avoir autorisé à te citer ! En fait, cette chanson très nostalgique résumait parfaitement mes sentiments de l'heure. Je me sentis soudain régresser vers mon enfance bienheureuse. Ah ! Que fallait-il dissiper toutes nos illusions de jeunesse et nous plonger dans les affres abominables de l'adolescence, puis de l'adultère.

J'en avais les larmes aux yeux. Je fis part de mon chagrin à mon pote Yvan qui, même s'il n'avait pas eu le bonheur de vivre dans l'atmosphère sereine d'un foyer uni, n'en regretta pas moins sa naïveté irrémédiablement perdue.

Comme deux pochards en vadrouille, nous nous mîmes à pleurer sur la condition humaine; mais nous fûmes bientôt interrompus par le proprio qui menaça de nous jeter dehors :

— Ecoutez, les braillards, les gens viennent ici pour oublier leurs soucis et non pour voir deux ivrognes se lamenter sur leur sort.

Après nous être séché les yeux, nous commandâmes d'autres bières. Je vous le dis, mes amis, le jeune Yvan me plaisait de plus en plus. Nous étions même en voie de devenir des copains "à la vie, à la mort !", du moins jusqu'au retour de brosse du lendemain.

Vers minuit, nous quittâmes les lieux dans un état lamentable.

— Dzu viens me r'condzuire chjez ma fville, hein ? que me dzemanda Zyvan.

— Ch'prends jamais ma voitzure qugand chzu zaoul, que j'répondzis. On prend un tagzi !

Zyvan me laisza à mon nhôtel et cgontinua juszque chjez za fville. Au gours du trajjet, jz'eus le temps de me dégriser un peu.

J'arrivai donc à ma piaule l'âme joyeuse et la démarche titubante. Que vis-je à la réception, endormie dans un fauteuil ? Je vous le donne en mille (non, je vais plutôt vous le donner en cent, car je ne suis pas aussi riche qu'on le croit !). Vous vous souvenez de la petite "pouceuse" ? Eh ben ! elle était là et je vous jure qu'il ne s'agissait pas d'un mirage alcoolique.

Le gros tas qui, semblait-il, ne dormait jamais me reçut avec son air narquois et ses propos sarcastiques habituels :

— Tiens ! Monsieur a noyé ses déboires, ce soir ?

— Ta gueule, réceptacle d'immondices ! répliquai-je.

— Monsieur a de la visite, dit-il en me désignant Roseline. Sans doute quelqu'un de la famille... à lui voir l'allure !

— Ferme-la donc ! Est-ce que je dis, moi, que sur papier ta généalogie ressemble plus à un réseau d'égouts qu'à un arbre ? Non ! Eh ben ! boucle-la !

Notre frivole conversation, entamée sur un ton des plus badins, avait réveillé la jeune fille. Elle s'étira, se leva et s'approcha de moi.

— Il faut que je vous parle ! chuchota-t-elle.

Je faillis m'effondrer.

— Ah non ! Pas une autre ? Ça ne finira donc jamais !

Je la pris par le bras et je l'aidai à monter l'escalier qui menait à ma chambre (c'était plutôt elle qui me soutenait, mais vous savez comment c'est quand on est dans les vapes : on voit tout à l'envers).

L'enflure nous cria de son comptoir :

— N'oubliez pas que ça coûtera vingt dollars de plus... pour la désinfection de la chambre.

Je me tournai vers lui. N'ayant pas le cerveau assez éveillé pour lui envoyer une pointe à ma mesure, je me contentai de lui jeter, en me pinçant les narines :

— Dépotoir, va !

Il n'ajouta rien. Tant mieux, car j'étais à court de réparties. Aussitôt arrivé à ma chambre, je commandai une dizaine de tasses de café, de quoi dessoûler un régiment de Polonais. (Je sais, je sais ! Tout ça va à l'encontre de ma traditionnelle cuite solitaire. Et puis, merde ! De toute façon, ce foutu bouquin est déjà complètement sens dessus dessous !)

Après la deuxième tasse, je commençai à reprendre mes esprits. Je priai donc Roseline de me raconter ce qui n'allait pas (je vous jure que, si ça continue, j'ouvre un cabinet de psychiatre).

— Tu sais, commença-t-elle, nous ne sommes pas venus à Québec pour le Carnaval, mais pour nous procurer de la drogue. Dès notre arrivée, nous nous sommes informés auprès de nos fournisseurs habituels, qui nous ont dit que le prix avait presque doublé. A ce qu'il paraît, ils auraient reçu des ordres. Mon cousin a refusé de payer un prix aussi exorbitant et il a exigé de voir les types qui avaient donné de tels ordres. Il en a rencontré trois (des vrais tueurs !) avec qui il s'est battu. J'ai dû le conduire à l'hôpital. Les médecins ont décidé de le garder pour la nuit, car ils craignent une légère commotion cérébrale.

— Qu'est-ce que je viens faire là-dedans ?

— Mon cousin m'a dit : "Va voir le flic des narcotiques et dénonce le *pusher* et sa gang. Ils n'ont qu'à ne pas exploiter les étudiants !" Alors, je suis venue ici.

— Ainsi, tu as cru cette histoire de flics de narcotiques ?

— Bien sûr ! Tu n'en es pas un ?

— Voyons ! Est-ce que j'ai une tête de flic ? (Qui vient de chuchoter : "Non ! y a pas de tête pantoute !" ?)

— Qui es-tu ?

J'hésitai pendant un court moment. Devais-je lui révéler ma véritable identité ou continuer à jouer le rôle de Benoît Samson, membre de la pègre ? J'optai pour la première solution.

— Tu connais Papartchu Dropaôtt ?

— Bien sûr ! On l'étudie au Cégep !

— Tu ne l'as jamais vu ?

— Non !

— Eh ben ! tu le vois pour la première fois !

— Oui ? s'exclama-t-elle. Tu es le vrai de vrai Papartchu Dropaôtt ? Le héros national du Québec ? Je croyais que tu n'existais pas tellement tes aventures tiennent de la légende.

— Parfois, je me pose la question, moi aussi.

— Alors, tu vas nous aider ?

Je réfléchis.

— Ah ! et puis, une enquête de plus ou de moins... Surtout que celle-là, elle paraît plutôt simple. Donne-moi le nom du *pusher*.

— Pierre Tremblay, dit "Coco".

Je me rendis au téléphone et j'appelai Veilleux. Il était tard mais, par bonheur, l'heureux couple regardait le film de fin de soirée. "Tiens, tiens ! me dis-je. Veilleux n'a plus de fric pour aller se rincer la dalle."

— Alors, vieux pochard, quoi de neuf ?

— Tout va très bien. Je te raconterai les détails plus tard, mais disons que nous avons retrouvé la trace d'un camionneur qui aurait participé à l'opération. Nous devrions l'épingler demain et nous comptons bien le faire jaser. Et toi ?

— Ça avance ! Ecoute, je veux que tu mettes dix de tes mecs sur la piste d'un *pusher* nommé Pierre Tremblay, dit "Coco".

— Tremblay ? C'est un copain de mon fiston (belles relations !). Qu'est-ce qu'il a fait ?

— Paraîtrait qu'il vend sa drogue tarif double

pendant le Carnaval et qu'il a des potes qui tabassent les gens qui ne veulent pas payer ce prix-là.

— Voyons, Dropaôtt ! C'est pas son genre ! C'est un voyou, mais un voyou qui a le sens de l'honneur.

— Ses amis viennent d'envoyer un type à l'hosto.

— Ça va ! Je te crois sur parole. Y a sûrement quelque chose là-dessous ! Je m'en occupe tout de suite et je te rappelle demain !

— Merci, Veilleux ! Je t'enverrai une caisse de bière pour te remercier de tes services.

— Tu sais, je préférerais une bouteille de gin qui ne soit pas dilué.

— On verra ! Salut et merci encore !

Je raccrochai. Je me retournai pour faire part à Roseline du fruit de ma démarche, mais elle n'était plus là.

— Voyons ! m'écriai-je. Me voilà repris par mes mirages alcooliques.

Je me tournai vers vous et j'ajoutai : "N'est-ce pas qu'il y avait une fille ici, y a pas deux minutes ?" (L'un de vous vient de murmurer : "Ouvre tes oreilles, crétin !")

Ouvrir mes oreilles ? Ah oui ! Je perçois un bruit à l'autre bout de la chambre, plus précisément dans la salle de bains. Qui plus est, le chemin qui y mène est parsemé de vêtements. Oh ! oh ! Ça devient comme qui dirait zérotique ! Roseline prend une douche. Pour quelle raison, croyez-vous ? Probablement pour m'éviter de payer vingt dollars pour la désinfection, non ? Je ne vois rien d'autre. Et vous ? Non ! Vraiment, je ne vois pas pourquoi elle prendrait une douche, comme ça, avant d'aller retrouver son cousin à l'hôpital. Quoiqu'elle ne s'est peut-être pas lavée depuis son arrivée à Québec... Elle va donc se laver et retourner auprès de son cousin. Oui, mais alors, ce n'était pas la peine de laisser une piste de vêtements... comme pour m'indiquer le chemin à prendre pour la rejoindre.

Non ! Franchement, je ne vois pas. Et vous, pourquoi pensez-vous qu'elle a fait ça ? Aouch ! mes oreilles ! Voyons ! Point n'est besoin de crier si fort ! Vous m'avez presque transpercé le tympan. Répétez donc pour voir, moins haut cette fois ! Quoi ? Vous avez bien dit : "Les fesses !" ? Les fesses à qui ? Ahhhh ! Les Fesses ! Ainsi, vous êtes d'avis que... moi et elle... c'est-à-dire, elle et moi... nous allons... Vous croyez que je devrais ? Et Madame Chose ? Vous n'avez pas pensé à Madame Chose, cette refoulée sexuelle, cette tartuffe de la moralité ! C'est sûr qu'elle interviendra en plein milieu de mes ébats. Vous dites ? Madame Chose est en vacances en Floride ? Vous en êtes certains ? Qui vous l'a dit ? Ah bon ! Mais, au fait, vous y tenez tant que ça à... ? Bon, bon ! Ça va ! Tournez-vous que je me déshabille !

C'est alors que j'entendis :

— Alors, Dropaôtt, tu viens ? L'eau est bonne !

Eh ben ! puisqu'il faut que je me sacrifie... Remarquez que c'est uniquement pour vous autres que je le fais. ("Oui, oui ! que chuchote le petit Pierrot. Moi, je donnerais cher pour être à sa place !") Et tu ne crois pas si bien dire, mon petit Pierrot. Même que, si tu voyais ce que je vis en entrant dans la salle de bains, tu doublerais ton offre; en effet, sous l'enveloppe négligée de ses vêtements, Roseline apparaissait comme une perfection sur pattes (ça, c'est plutôt mal dit !). Même Démétrios n'a pas aussi bien réussi son *Aphrodite*. Le visage rafraîchi, ruisselant, encadré par la chevelure noire détrempée, prenait la forme d'un ovale parfait et rehaussait l'éclat des yeux verts, légèrement bridés. Quant au reste, tout n'était que courbes pétantes de santé, que ne déformait cependant aucun gramme de graisse. Je me demandai ce qu'une beauté pareille pouvait bien faire avec des mecs du genre de son cousin, à se polluer le système par la drogue. En fait, c'était peut-être le seul exutoire qu'elle avait trouvé pour contrer l'excès de narcissisme attaché à son physique, car chacun sait que les trop belles femmes sont bien souvent malheureuses de n'être aimées que pour leur corps. En outre, la fréquentation de drogués lui permettait sans doute d'être davantage acceptée pour elle-même, ces types étant en général des oraux impuissants qui préfèrent *rêver* leurs fantasmes plutôt que de les mettre en pratique. Enfin, passons outre cette septième gression et revenons au sujet qui m'occupe.

Nul n'est besoin de vous dire que je ne fus pas long à rejoindre Roseline sous la douche. Et comme je suis de la trempe des héros et non des oraux (qui vient de chuchoter : "Y serait plutôt du genre "zéro" !" ? Hey ! Allez-vous cesser de vous fouter de ma gueule ? Vous le voulez votre chapitre érotique ou non ? Je peux bien vous le couper, moi...) ...Je disais donc : Comme je suis de la trempe des héros et non des oraux, je lançai, tout frétillant :

— Imagine-toi que nous nous trouvons sous la chute Mamapapa en Bolivie (pour les ignorants dans votre espèce, je précise que cette chute appartient au fleuve Tipô, l'un des déversoirs du lac Titicaca). Nous sommes là, comme deux Incas nus qui ne se connaissent pas (là, je viens de faire un pléonasme). Tu t'appelles Tôsmelba et moi, Fromajoka. Comme nous nous complétons bien ! Tu me dis : "Fromajoka, étends-toi sur moi !" Je réponds : "Oui, Tôsmelba, je vais te faire craquer de plaisir... Mais une question se pose, ma chère Tôsmelba !" "Laquelle ?" demandes-tu de ta voix croquante. Je m'écrie alors, philosophe : "C'est bien beau tout ça, mais *qui va nous manger* ?"

Roseline se tordait de rire dans la douche. Faut dire que de la façon dont je la palpais, j'avais plutôt l'air d'une essoreuse.

C'est alors que nous commençâmes les "gestes de l'amour" (c'est-y con !). Un petit coup de savon par-ci, un petit coup de savon par-là... Un petit baiser par-ci, un petit baiser par-là... Un petit coup de savon... Un petit baiser... Un petit coup de savon... Un petit baiser... Un petit baiser... Un petit coup de savon... Tout ça, c'était très bien mais, à un certain moment (je vous jure que je ne sais pas comment c'est arrivé !), je me suis retrouvé avec le savon dans la bouche !

Comme nous étions plutôt à l'étroit dans la douche et que la liberté de mouvements nous était on ne peut plus mesurée, nous décidâmes de poursuivre nos ébats sur le lit. Après nous être mutuellement séchés (ce qui ne pouvait qu'accroître le désir frémissant qui avait fait de nous ses esclaves — Ho ! quel style !), nous nous précipitâmes vers la couche.

Caresses timides qui devinrent de plus en plus hardies... Elévation transcendantale des seins-monde qui se gonflent jusqu'à exploser, découverte mirifique du ventre-parcours-de-golf et des cuisses-montagnes-du-Palmire-qui-recèlent-la-caverne-des-quarante-violeurs. "Sésame, ouvre-toi!" s'écrie Bibi-baba, et les collines-cuisses-carton-pâte-hollywoodien s'entrouvrent sur un décor broussailleux, oasis paradisiaque aux étangs mielleux où viennent s'abreuver les chameaux, les dromadaires, les drogués et les Bibi-baba. Comme je suis très galant (gue), je ne précipite rien, je réchauffe Roseline et j'attends son invitation, car j'ai toujours aimé jouer au moineau poli. Tout sacrifice a sa récompense, puisque la jeune fille va embrasser passionnément un troglodyte sans ailes qu'elle prend pour une grenouille-devant-se-changer-en-prince-charmant mais qui, au contraire, semble vouloir se faire aussi grosse que le boeuf...

Pendant ce temps, Bibi-baba furète, fouille et fouine à la recherche de la délicate améthyste, qu'il découvre bientôt, toute frissonnante. Mais, attention Bibi-baba ! Ce n'est qu'une ruse des violeurs, une chausse-trappe ou quelque chose d'apparenté. En effet, dès que Bibi-baba, tout à sa convoitise, touche l'améthyste, un océan grondeur roule ses flots à sa rencontre, dans le but évident de le noyer. Ha ! ha ! les quarante violeurs sont peut-être rusés, mais ils ont oublié que Bibi-baba peut aussi se transformer sur l'heure en un Gargantua, assoiffé insatiable, qui, d'une traite, est en mesure de liquider une mer...

Pendant ce temps, la grenouille se gonfle, se gonfle...

Pendant ce temps aussi, le téléphone se mit à sonner.

— Merde de merde ! hurlai-je. Et je tendis le bras pour saisir le récepteur. Allô !

— Oui, ici votre producteur-éditeur ! Ecoutez, je crois qu'il va falloir écourter la scène érotique.

— Comment ? Vous auriez dû me le dire avant et ne pas attendre que je sois dans un tel état. C'est de la cruauté mentale. Je vais me plaindre à la Ligue des Droits de l'Homme.

— Voyons, mon cher Dropaôtt ! Ne montez pas sur vos grands chevaux ! J'ai dit "écourter", pas "censurer" ou "éliminer". Quelques minutes en moins ne vous feront sûrement pas mourir, pas plus que votre charmante partenaire. Vous savez, j'ai beaucoup de frais ces temps-ci; l'année est difficile, l'inflation...

— Eh ben ! en parlant d'inflation, vous me rappellerez quand la mienne sera terminée...

Et je raccrochai. Non, mais... Je lui rapporte des fortunes et il voudrait que j'écourte les scènes où je m'amuse un peu, où je peux oublier mes problèmes. Bientôt, il me persuadera de les faire disparaître complètement. Quand je pense que je me donne tout ce mal pour "vous faire oublier vos soucis", comme dirait le copain Piazza, et que moi, je n'ai même plus le droit de me payer un peu de bon temps, eh ben ! j'affirme que la vie est injuste, na !

— Tu viens, mon gros minou ?

Je me tournai vers Roseline qui, vautrée sur le lit, la peau moite et les yeux allumés par l'hystérie des sens, me réclamait auprès d'elle.

— Na, je ne l'écourterai pas, la scène !

Et je plongeai sur la couche où, la jeune fille et moi, nous reprîmes nos recherches linguistiques. Bon ! où en étais-je ? Ah oui ! Y avait une histoire qui parlait d'une grenouille et une autre qui parlait de Bibi-baba. Eh bien ! ces histoires-là sont terminées. Passons à autre chose ! Que diriez-vous de Moïse-frappe-le-rocher-de-son-bâton-et-il-en-jaillit-une-source ? Ou encore le conte licencieux du Beau-hautbois-d'Armand ? De toute façon, je vais cesser de vous parler, puisque Roseline, qui tient absolument à ce que je m'occupe d'elle, a remis en liberté ses petits doigts mutins...

Nous nous embrassâmes passionnément. A ce stade-ci, j'aurais presque envie de vous faire de l' "érotisme médical" et de vous citer un passage de Freud à propos du baiser. Vous voulez bien ? D'accord ! Voici ce qu'il dit dans *les Trois Essais sur la théorie de la sexualité* :

"*Un de ces contacts, celui des muqueuses buccales* (berk !) — *sous le nom ordinaire de baiser — a acquis dans de nombreux peuples, parmi lesquels les peuples civilisés, une haute valeur sexuelle, bien que les parties du corps intéressées n'appartiennent pas à l'appareil génital, mais forment l'entrée du tube digestif...*" Allez embrasser quelqu'un après avoir lu de telles choses !!!

De toute façon, Roseline qui, sans nul doute, approche à grands pas de son deuxième orgasme de la soirée, insiste fortement pour que je cesse définitivement de vous parler.

Nous nous unîmes donc et nous roulâmes sur

le lit, interprétant à notre manière les 3 988 positions telles que décrites dans le *Kâma sûtra* hindou, le *Ab d'el Lubrik* arabe, le *Pong Lui Lku* chinois, le *Silanus et ros* latin (littéralement : Le jet d'eau et la rosée) et, enfin, le *Relevé de la Bourse*. Nos corps se laissaient aller aux mouvements musculaires inconscients découverts par Reich. C'était le délire, la plongée dans le gouffre, le nirvana, l'envolée extatique. Le lit devenait un océan de plaisir moelleux et il modulait ses craquements au même rythme que les halètements de Roseline...

Soudain, la jeune fille perdit tout à fait le contrôle. Sa tête roula de part et d'autre sur l'oreiller et elle se mit à crier des phrases incompréhensibles. Surpris, je vins à mon tour.

Une minute plus tard, elle n'était pas encore revenue à elle. Vous savez, y a des gens, comme ça, qui perdent totalement contact avec leur Moi sous l'afflux d'une trop grande jouissance. Parfois, il y a même risque d'une explosion pure et simple du Moi.

Je me levai et j'allai mouiller une débarbouillette dans la salle de bains. Je revins et je la lui posai sur le front. Elle était tellement *partie* qu'elle m'imaginait encore en elle.

— Oh! Comme c'est bon! encore! gémissait-elle. Et je vous assure que les manifestations physiologiques étaient là pour prouver qu'elle ne bluffait pas. Je sais, vous vous dites : "Ça doit être formidable de faire l'amour avec une fille comme elle!" Pas autant que vous le croyez! Je vous rappelle que l'acte sexuel est avant tout une communication. Alors, avec Roseline, c'est un peu comme si votre interlocuteur avait à un certain moment raccroché le téléphone.

Je m'assis près d'elle et je lui parlai doucement en la caressant...

On frappa à la porte.

— Merde ! Quel est l'imbécile qui vient me déranger à pareille heure ? Espérons que ce ne sont pas les deux lascars de l'avant-veille qui veulent me réclamer de l'argent.

Je m'habillai sommairement, je me munis de mon revolver et j'allai ouvrir. Deux flics se tenaient à la porte.

— Paraît qu'y a de la pornographie, ici ? dit l'un d'eux, l'air mi-menaçant, mi-amusé.

— Ecoutez, les gars, si un type n'a plus le droit de faire l'amour avec une fille en privé, où allons-nous ?

— Je comprends, reprit le deuxième, mais y a une dingue qui nous a téléphoné de Floride et qui a exigé qu'on arrête les ébats d'un certain Papartchu Dropaôtt. Est-ce vous ?

— Oui ! Vous connaissez Madame Chose ! C'est une maniaque de la vertu, une obsédée...

— Bien sûr ! Vous avez raison, mais il fallait tout de même vérifier.

Le deuxième policier me fit un clin d'oeil.

— Alors, comment qu'elle est, la fille ?

— Nous avons terminé depuis dix minutes et elle n'est pas encore revenue à elle.

— Satyre, va ! s'exclama le premier en éclatant de rire. Elle est majeure au moins ?

— Oui, oui ! Du moins, je crois !

— Donc, c'est parfait ! On est tout de même contents de ne pas vous avoir dérangés en plein... Ha ! ha !

— Je vous remercie, les gars ! Vous êtes bien

gentils ! Et si je peux faire quelque chose pour vous...

Ils se penchèrent vers moi et me chuchotèrent :

— C'est que... on aimerait que tu nous nommes dans ton bouquin. Ça nous ferait un peu de publicité, tu comprends ?

— Certainement ! Comment vous appelez-vous ?

— Pierre Proteau ! dit l'un.

— Moi, c'est Gilles Groulx ! dit l'autre.

— Eh ben ! les gars, c'est fait !

— Merci, Dropaôtt ! C'est sûr qu'on va l'acheter, ton bouquin.

— A mon tour de vous demander quelque chose.

— Quoi donc ?

— Eh ben ! je suis comme qui dirait incognito à Québec et j'aimerais le demeurer.

— Compris ! On va être muets comme des tombes.

Sur ce, ils partirent en m'envoyant un "Salut, Bonhomme !" très désagréable.

Bon ! vous voyez, les amis, que je n'en ai pas contre tous les flics. Ceux-là, ils étaient même très sympa : ils ont attendu que j'aie fini de faire l'amour pour venir frapper à la porte. Hi ! hi ! C'est Madame Chose qui va être en beau joual vert.

Je retournai auprès de Roseline. Sa respiration s'était apaisée et dans ses yeux, tout à l'heure vagues et fous, apparaissaient des lueurs de lucidité. Dès qu'elle me vit à ses côtés, elle m'entoura le cou de ses bras et m'attira contre elle.

— Oh ! c'était bon, tu sais ! Je n'ai jamais

joui autant !

— J'ai bien vu ! Ça t'arrive souvent de perdre la carte ?

— Que veux-tu dire ?

Je lui racontai en bref la façon dont elle avait réagi à mes talents incomparables.

— Tu n'es pas le premier à m'en parler. C'est étrange parce que moi, pendant ce temps, j'avais vraiment l'impression que tout était normal.

— Eh bien ! soupirai-je.

Je me déshabillai et je me recouchai près d'elle. Nous papotâmes un peu, puis nous nous endormîmes dans les bras l'un de l'autre. Je rêvai que je faisais l'amour avec une fille tellement formidable que j'en perdais la boule. Je m'éveillai en sursaut et, avant que de refermer les yeux, je m'interrogeai sur la signification de ce songe bizarre. (Y a un psychiatre qui chuchote : "C'est son désir inconscient de devenir fou !" Impossible, mon cher monsieur, car je le suis déjà ! Et toc !)

CHAPITRE QUATRE

Où la Sainte Vierge, incarnée par Roseline (qui n'est pas vierge du tout !), apporte à Papartchu Dropaôtt son concours, ses neuvaines, ses rosaires, ses lampions et même ses sept ou huit douleurs, ce dans le but évident de le faire triompher de tous les obstacles qui jonchent son chemin ainsi que de le voir réduire à l'impuissance et à la mendicité tous les méchants-méchants de cette histoire rocambolesquement véridique...

Vers huit heures, un bien-être extraordinaire me tira du sommeil réparateur dans lequel j'étais plongé : Roseline était en train de s'offrir, avant le petit déjeuner, un hors-d'oeuvre du genre “passez les huîtres !”. Je n'osai l'interrompre. Oh la la ! Oh la la !

Puis, comme si de rien n'était, elle se recoucha à mes côtés et se rendormit. Hé ! ne me dites pas qu'en plus elle était somnambule ! Quoi qu'il en soit, je me rendormis moi-même sur cette interrogation épineuse.

A dix heures, je me réveillai pour de bon. Roseline n'était plus là. Levant les yeux, je l'aperçus à l'autre bout de la pièce, assise dans un vieux fauteuil ocre à l'étoffe défraîchie. Elle m'avait emprunté mon portefeuille et examinait les papiers qu'il contenait.

“Une espionne ?” me dis-je. Je m'apprêtai à lui régler son compte, bien qu'elle m'ait procuré beaucoup de plaisir. J'essayai de sortir du lit le plus silencieusement possible, mais il craqua à mon premier mouvement.

Roseline se tourna vers moi.

— Bonjour ! dit-elle. Je m'excuse d'avoir fouillé dans ton portefeuille, mais je suis très curieuse. Tu sais que j'étudie la graphologie. Alors, je voulais en apprendre davantage sur toi en examinant ton écriture.

Mes craintes s'évanouirent aussitôt. Charmante enfant ! Et moi qui ai toujours aimé me faire analyser par les autres ! Tandis qu'elle poursuivait son examen, je commandai un petit déjeuner pour deux avec bien des oeufs.

— Et puis ? lui demandai-je. Qu'as-tu découvert sur ma personnalité ?

— Eh bien ! c'est assez étrange. Je n'ai jamais vu une écriture aussi déroutante. D'une part, on devine très bien les traits de ton caractère, mais de l'autre, c'est comme si c'était *créé* de toutes pièces.

— Explique-toi !

— Vois-tu, c'est un peu comme si *tu n'existais pas vraiment* (c'est Grenier qui va être content d'apprendre ça !).

— C'est sans doute parce que je suis une légende, non ?

— Ce n'est pas ce que j'ai voulu dire. En regardant ton écriture, on pourrait croire que ta personnalité t'a été insufflée. On ne sent aucun souffle intérieur. C'est comme qui dirait le vide.

— Bon ! Passons à mon tempérament, veux-tu ? lançai-je. (Après tout, je ne tiens pas à ce que vous cessiez de croire à mon existence, hein ? Où iriez-vous sans moi ?)

— D'accord ! Tout d'abord, je remarque que

les “n” et les “t” qui terminent les mots sont retroussés.

— Et ça signifie...

— De l’ostentation ! De la vanité !

— Trop gentille ! Ensuite ?

— Les barres des “t” sont placées très haut, parfois même au-dessus du corps de la lettre. Ce qui veut dire que tu as beaucoup d’idéal, mais aussi que tu tends à considérer les choses sous un angle trop philosophique.

— Ah ! ça, c’est bien !

— D’autre part, les longs jambages que tu ajoutes sous nombre de lettres (“u”, “s”, “r”, “n”, notamment !) indiquent que tu subis de très fortes pressions de tes pulsions inconscientes. C’est un peu comme s’il y avait chez toi une lutte entre l’Inconscient et l’Idéal et que l’ostentation, la vanité, te servaient, du moins en partie, à résoudre ce conflit. De toute façon, il est certain que ton écriture révèle une très forte personnalité.

Elle me regarda avec des yeux malicieux et poursuivit :

— Ça doit te faire plaisir, hein ?

— Baorf ! fis-je, indifférent. C’est une chose que je savais depuis longtemps.

A ce moment-là, le téléphone sonna. J’allai répondre en laissant Roseline s’amuser avec mes papiers.

— Allô !

— M. Papartchu Dropaôtt ?

— Moi-même !

— Ici Gilles Mattheau.

— Bonjour, comment allez-vous ?

— Très bien, merci! Bon! je vous appelle au

sujet de l'enquête que nous vous avons confiée. Avez-vous découvert quelque chose ?

— Je dois vous avouer, mon cher monsieur Mattheau, que l'enquête a très bien démarré mais que j'ai abouti hier à un véritable cul-de-sac. Cette affaire a été montée par des professionnels.

Je lui racontai brièvement mes pérégrinations de la veille.

— Mais je ne désespère pas, ajoutai-je. Je reprends le travail aujourd'hui et soyez assuré que je trouverai bien un autre fil d'Ariane.

— J'ai confiance, monsieur Papartchu ! Je souhaite de tout coeur que vous puissiez dénicher ces malfaiteurs.

— Ne craignez rien ! Il reste encore cinq journées complètes avant le mardi gras et la clôture des festivités... C'est plus que suffisant !

— Vous avez carte blanche ! Donc, vous me tenez au courant de tous les développements ?

— Bien sûr, monsieur Mattheau !

— Très bien ! A la prochaine !

Je raccrochai. Eh ben ! les potes, je vais vous confier que je lui ai menti effrontément au sieur Mattheau. En fait, je ne vois pas du tout comment je pourrai découvrir les coupables avant mercredi prochain. Enfin...

Je retournai auprès de Roseline.

— Qu'est-ce que c'est ? me demanda-t-elle en me désignant les reçus que j'avais empruntés aux marchands extorqués.

— Ce sont des pièces à conviction pour l'enquête que je mène présentement.

— Eh bien ! on se rend compte tout de suite qu'il s'agit de criminels.

Elle continua à feuilleter les documents, et tomba bientôt sur le billet doux que m'avaient laissé les lascars de l'avant-veille. Elle le considéra pendant un instant puis, saisissant un des reçus, elle confronta les deux écritures.

— C'est le même type ! dit-elle, tout à fait convaincue.

— Quoi ? explosai-je.

— Mais oui ! celui qui a écrit le billet et celui qui a signé le reçu sont une seule et même personne. C'est évident !

Je tenais pas de joie. Je pris Roseline dans mes bras, je l'embrassai et, la soulevant dans les airs, je la fis virevolter dans la pièce. Comme nous étions presque nus, le garçon, qui entra avec la desserte roulante, dut croire que nous répétions une scène d'un nouveau ballet érotique. Il rougit jusqu'à la pointe des pieds et voulut se retirer en bégayant des excuses.

Je tirai de mon portefeuille un gros pourboire que je lui remis :

— Merci bien, jeune homme !

— Mer... merci, mon... monsieur ! Ex... excusez-moi encore ! Et il quitta la chambre en continuant de bafouiller des "Bon appétit !" et des "Amusez-vous bien !" entremêlés.

Tout en mangeant avec voracité, j'expliquai à Roseline l'importance de la découverte qu'elle venait de faire.

— Tout s'arrange ! m'écriai-je, enthousiasmé. J'avais abouti à un cul-de-sac mais, à présent, je sais que l'histoire de la fraude et celle de l'hôtel sont étroitement reliées entre elles. Le plan suivant est donc tout indiqué : 1. servir immédiatement au propriétaire la raclée que je lui avais promise. 2. obtenir de lui le numéro de téléphone secret qu'il semble utiliser. 3. faire revenir ici le lascar qui m'intéresse et l'obliger à se mettre à table. Et le tour sera joué ! Je pourrai ensuite m'occuper en toute liberté du copain Yvan et le protéger malgré lui contre ses instincts de meurtre.

Roseline riait de me voir d'humeur aussi joyeuse.

— N'oublie pas aussi mon cousin qui est à l'hôpital. D'ailleurs, je vais aller le voir tout à l'heure.

— Bien sûr que je ne l'oublie pas. Après tout, c'est toi qui m'as fourni la clé du mystère.

Après nous être rassasiés, nous nous réservâmes une heure et demie pour digérer (en faisant quoi, vous pensez ?). Puis, avant de régler son compte au gros tas de l'hôtel, je pris un taxi avec Roseline. J'allai la déposer à l'hôpital et je me fis conduire au *Caillou* où j'avais laissé ma voiture, la veille.

Roseline m'avait prié de la reprendre deux heures plus tard, car elle désirait passer encore quelques jours avec moi. Au cours du trajet qui nous menait à l'hosto, elle m'avait d'ailleurs chuchoté des "Je t'aime bien, tu sais !", "J'adore faire l'amour avec toi !", "Tu es formidable dans un lit !", etc., toutes des phrases courantes dans la bouche des donzelles d'aujourd'hui et qui équivalent aux "Monsieur, je vous accorde le droit de me baiser la main !", "Mon père vous permet de venir me voir les mercredis et samedis soirs, entre huit et onze !", etc., hypocrisies qui avaient cours il n'y a pas si longtemps.

Je retournai à l'hôtel et c'est en me crachant

dans les mains que j'arrivai à la réception. Sur le chemin du retour, j'avais pris soin de m'autosuggestionner afin d'être très agressif (vous savez que je ne le suis pas de nature) en me répétant : "Ah ! le gros tas de merde !", "Ah ! mais ce que je vais te me le dégonfler en douce !", "Ah ! quand j'en aurai terminé avec lui, il ne restera plus qu'à jeter ses décombres aux ordures !"...

C'est vous dire que je me trouvais dans une telle disposition d'esprit que, lorsqu'il me vit paraître, il se douta tout de suite que quelque chose n'allait pas.

— Mon... monsieur désire ?

— Ainsi, je suis un pouilleux, un clown, un petit drôle ! Ainsi, il faudra désinfecter ma chambre, hein ?

D'un coup d'oeil, je m'assurai que nous étions bel et bien seuls dans le hall. Satisfait, je saisis le lourdaud par le collet.

— Voyons, monsieur ! bafouilla-t-il. Je plaisantais. Monsieur sait fort bien que je plaisantais, non ?

— Mais oui, gros ! D'ailleurs, moi aussi, je plaisante !

Et bang ! un coup de poing sur le museau de l'obèse qui alla s'écraser contre le mur derrière lui. Je sautai par-dessus le comptoir pour faire plus ample connaissance avec mon nouveau copain.

— Hein ? Que penses-tu de cette plaisanterie, enflure ?

Je le relevai et bang ! un autre coup de poing entre les deux yeux. Il pénétra à reculons dans son bureau et fut stoppé par son bureau qu'il déplaça tout de même de quelques centimètres.

— Voyons, monsieur ! balbutia-t-il, la gueule ensanglantée. Je ne vous ai rien fait. Pourquoi me martyrisez-vous ?

— Tu imagines des choses, vieux ! Ce ne sont que des petites tapes amicales que je te donne.

— Mais je ne vous ai rien fait, moi !

— T'as raison ! Pourtant, y a un type que tu connais qui ne m'a pas ménagé et ce type-là, j'aimerais bien savoir son nom et son adresse. Tu piges ?

— Je ne vois pas ce que vous voulez dire.

— Eh ben ! je vais te rafraîchir la mémoire, comme dirait mon pote Eddie Constantine.

Et bang ! sur la margoulette ! Le gros alla cabosser une armoire de tôle près de laquelle il s'effondra.

— Alors, pépère ! Tu me le donnes, ton numéro de téléphone ?

— Oui, oui, tout de suite... Mais vous auriez pu me le demander plus gentiment.

— Avec des voyous comme toi, on n'emploie pas la méthode tendre. La méthode tendre, c'est pour les gens civilisés, espèce dont tu ne sembles pas faire partie (là, c'est Eddie Constantine qui est fier de ma réplique : "Tout à fait comme moi dans le temps !" qu'il s'écrie, les larmes aux yeux, en se rappelant tout le plaisir qu'il a eu (et qu'il nous a procuré) avec les films de Lemmy Caution).

J'aidai le bouffi (dont je ne connais toujours pas le nom) à se relever. Il se dirigea en chancelant vers son bureau, ouvrit un tiroir. Mon instinct, qui ne me trompe jamais, réagit en une fraction de seconde. En moins de temps qu'il n'en faut pour crier : "Sale hypocrite !", j'étais sur mon mec et je lui faisais sauter le revolver des mains. Là, par exemple, je vous avoue que le monsieur mettait un peu trop à contribution ma bonne volonté...

Bang ! bang ! et rebang !

Sa tête émit un bruit bizarre lorsqu'elle heurta le mur d'en face. Le gros fit "ouf !", comme s'il allait se dégonfler, et il cessa de bouger.

— Merde ! S'il fallait que je l'aie occis...

Je me précipitai vers la porte que je refermai et verrouillai. Au moins, aucun oeil indiscret ne pourrait assister à la scène. Je m'approchai du vieux, je le tâtai un peu et je me rendis compte qu'il n'était qu'évanoui : une légère commotion cérébrale. Dans quelques heures, il n'y paraîtrait plus.

— Bon ! Eh ben ! tandis qu'il est encore K.O., profitons-en ! me dis-je.

Je me mis à fouiller méthodiquement ses poches, puis le bureau. J'appris que mon copain s'appelait Augias E. Curie (ou "Ecuries d'Augias") : c'était probablement son nom qui l'avait poussé à faire carrière dans l'hôtellerie miteuse.

Après quinze minutes de fouilles, je découvris le fameux numéro de téléphone sous un presse-papier. Il était précédé de la mention "Contact C.". Eh ben ! le fameux Contact C., il allait en prendre pour son rhume.

Je composai le numéro et j'attendis, me préparant à emprunter le ton de balloune essoufflée du gros proprio.

— Salut, Bonhomme ! répondit-on (encore ?).

— Salut, Bonhomme ! Ici Augias Curie, commençai-je. J'ai des problèmes avec le même type qu'il y a deux jours. Pouvez-vous m'envoyer les mêmes gars ? Ils font du bon travail.

— Parfait ! Ils seront là dans vingt minutes.

— Qu'ils montent directement à la chambre du mec. Salut et merci !

— De rien ! Nous autres, du moment qu'on obtient notre pourcentage... Et puis, les clients récalcitrants, ça tient nos hommes en forme ! Alors, salut, Bonhomme !

— C'est ça ! Salut, Bonhomme !

Je raccrochai. Je me retournai vers Curie qui commençait à gémir. Nul doute qu'il reviendrait bientôt à lui. Je devais prendre une décision rapidement.

"De toute façon, me dis-je, dès que j'aurai réglé l'affaire du faussaire-fier-à-bras, je déguerpis et je vais crécher ailleurs. Alors, je peux laisser Augias ici pendant une heure ou deux."

Je me remis à fouiller le bureau et je dénichai dans une petite armoire un rouleau de corde qui avait gentiment été déposé là par le régisseur. Je ligotai solidement le sac à ordures, je lui mis un bandeau sur la bouche et je l'assommai de nouveau pour qu'il se tînt tranquille pendant l'opération "venez à moi, les petits enfants !".

Je lui subtilisai ses clés et je quittai le bureau que je verrouillai de l'extérieur. Je remontai à ma chambre en sifflant l'air de *Malborough s'en va-t-en guerre* et en mettant au point une stratégie particulièrement brillante.

* * *

Lorsque les types arrivèrent, quinze minutes plus tard, ils trouvèrent la porte entrouverte, les rideaux tirés, les lumières éteintes, et ils aperçurent sur le lit un gros paquet qui semblait faire dodo sous les couvertures.

— Ça m'a tout l'air d'un guet-apens ! chuchota le premier.

— Je croirais plutôt que c'est un piège, reprit le deuxième.

— Voyons, crétin ! un guet-apens et un piège, c'est la même chose !

— Des fois, je te trouve chanceux d'avoir terminé ta cinquième année, répliqua le deuxième. Alors, qu'est-ce qu'on fait ? On saute sur le lit ?

— Bien non ! c'est pas là qu'il est. Il doit être caché dans un coin. Si on rallume, on est à découvert et on risque de se faire tirer dessus !

— Il n'a peut-être pas d'arme !

— Au contraire ! Les types qui tendent ce genre de piège sont toujours armés.

— Maudit que c'est beau, la culture ! s'exclama le deuxième. Alors, on sort nos *guns* et on tire au hasard ?

— Tu sais ce que le chef a dit : "De l'intimidation, mais pas de meurtres !" Donc, pas de conneries !

— Où crois-tu qu'il se cache ?

— Je ne sais pas. Toi, va voir dans la salle de bains. Sois prudent ! Il est soit là-bas, soit dans la garde-robe.

La porte de la chambre étant ouverte, il faisait plus clair, mais la pénombre était tout de même assez épaisse pour que je passasse inaperçu.

Le deuxième lascar s'avança vers la salle de

bains, l'autre s'approcha de la garde-robes, qui se trouvait à quelques pas du lit.

Soudain, un hurlement dans la pièce, suivi d'une explosion de jurons. Le deuxième mec s'était électrocuté sur la poignée de porte de la salle de bains (je vous expliquerai comment on fait !) et il avait perdu connaissance. Quant à son compère, au comble de la surprise, il avait laissé échapper des sacres pas très jolis. Dans son esprit, je venais d'attaquer son pote près des toilettes. Devait-il s'y rendre ? Il jugea la situation en un clin d'oeil et décida de mettre tout d'abord un écran entre la salle de bains et lui : il n'y avait que le lit. En outre, il pourrait, tout en demeurant caché, allumer la lampe de chevet et y voir beaucoup plus clair.

— Ah mon salaud ! l'entendis-je grommeler. Ordres ou pas ordres, je te descends !

Il se mit donc à quatre pattes et s'avança jusqu'au lit. Lorsqu'il fut à l'abri, il vérifia le chargement de son arme; puis, il releva la tête et voulut examiner la situation en regardant pardessus le lit. C'est alors qu'il reçut un coup de crosse de revolver en plein sur la caboche. Il s'écroula, assommé. Eh oui, les copains ! le paquet de linge sous les couvertures, c'était bibi ! Génial, n'est-ce pas ? Qui eût pu deviner que je me cachais là quand la tradition policière enseigne qu'on ne doit trouver sous les draps qu'un tas de linge imitant un corps humain ? Mais c'est-y beau, être brillant ?

Les deux types étaient donc à ma merci. Avec ce qui restait de la corde du Sieur Curie, je les ficelai comme des saucissons et je les entassai dans un coin. J'attendis patiemment qu'ils se réveillent pour les interroger, ce qui, d'ailleurs, ne tarda pas.

— Alors, les gars, vous avez aimé le jeu ? leur susurrai-je avec un air tout ce qu'il y a de plus malicieux (si vous me voyiez en ces occasions, vous diriez que j'ai une tête à fesser dedans tellement j'ai l'air moqueur). Mais au fait, ajoutai-je, vous ne pouvez pas parler à cause du bâillon...

Je pensai : "A présent, usons de ruse pour savoir lequel des deux a écrit le petit billet doux !"

— En tout cas, les amis, repris-je, vous êtes des types plutôt coriaces... et même très perspicaces. Dommage que je le sois plus que vous ! De toute façon, celui d'entre vous qui a écrit le petit mot, l'autre soir, c'est un vrai de vrai, un véritable as de la moquerie. Je vous jure que j'ai vraiment eu la trouille quand j'ai lu le message.

L'un des mecs, celui qui portait une barbe, se mit à marmonner :

— Mmmmmm ! mmmmmmm ! mmmmmm ! qu'il faisait.

Je lui retirai son bâillon.

— Je parie que c'est toi, lui dis-je. Tu m'as l'air plutôt intelligent.

— Oui, c'est moi ! Et tu vas voir que j'étais sérieux !

Je considérai mon prisonnier pendant un bref instant et je me rappelai le portrait-robot que j'avais esquissé. Si on lui coupait la barbe, il ressemblait à s'y méprendre au Serge Côté que je cherchais.

— Je te crois sur parole, *Serge* ! fis-je comme ça.

— Mon nom n'est pas Serge ! Je m'appelle

Henri... Henri Dutil ! Et je t'assure que tu vas t'en souvenir longtemps.

— Merci vieux ! C'est tout ce que je voulais apprendre de toi.

Il se rendit compte qu'il venait de faire une gaffe en me révélant son identité. Pour se venger, il se mit à crier à tue-tête pour ameuter les voisins. Ses hurlements à la lune ne durèrent pas longtemps, car je l'assommai et lui remis son bâillon. L'autre type me dévisageait, les yeux fous. Il ne parvenait pas à comprendre pourquoi son copain, qui avait terminé sa cinquième année et qui, sans doute aucun, était un génie de la dissimulation, s'était fait rouler par un croquant comme moi. J'allais lui expliquer les différences énormes qui me séparaient de son confrère quand le téléphone sonna.

— Allô ! dis-je, histoire de mettre mon interlocuteur à l'aise.

— Salut, Bonhomme ! me répondit-on (merde ! si vous saviez comme cette forme de salutation m'agace !). Ici Yvan Allenchère !

— Alors, vieux, comment ça va ?

— Plutôt mal !

— Que se passe-t-il ?

— Eh ben ! je suis retourné au Colisée et j'ai échappé de justesse à un guet-apens. Le type à qui j'ai remis l'argent est allé tout raconter à Cauchon. Y avait deux mecs qui m'attendaient pour me descendre. Heureusement, je me suis douté de quelque chose et j'ai pu leur filer entre les pattes. Mais ils sont sur ma trace.

— Où es-tu présentement ?

— A l'*Echouerie*, au centre-ville.

— Ne bouge pas de là ! J'ai une petite affaire

à régler. Dans deux heures au plus tard, je te rejoindrai.

— Merci de ton aide ! Et toi, as-tu retrouvé ton pigeon ?

— Oui, et ce n'est qu'une question de temps avant que je ne le descende.

Le lascar, qui n'était pas endormi et qui n'entendais que mes répliques, se mit à trembler comme une feuille.

— Donne-moi le numéro de téléphone de la brasserie, ajoutai-je. Au cas où je serais retardé.

Je pris en note et je raccrochai. Je n'étais pas sitôt revenu auprès de mes petits anges ligotés que le téléphone sonna de nouveau.

— Allô !

— Salut, Bonhomme ! (Mais, merde ! Je vais leur faire bouffer, moi, leurs "Salut, Bonhomme !") Veilleux à l'appareil !

— Quoi de neuf ?

— Bien des choses, mon vieux ! L'enquête progresse à pas de géant. Si tout va pour le mieux, nous aurons toutes les données en mains d'ici la fin de l'après-midi. Voici mon rapport sur les deux affaires. Je commence par celle de la drogue : eh ben ! c'est plutôt simple ! Il existe une mainmise de la pègre sur les stocks. Alors, on a exigé des petits *pushers* qu'ils doublent les prix pendant le Carnaval, sans quoi on cessait de les approvisionner. Naturellement, l'augmentation se retrouve en entier dans les poches des grossistes, ce qui a poussé certains *pushers* révoltés à s'ouvrir la trappe là-dessus.

— Donc, rien à faire de ce côté ?

— Non ! à moins de déclarer la guerre à la pègre !

— Bon ! Et l'histoire d'alcool ?

— Celle-là, elle est plus compliquée. Je t'ai parlé d'un camionneur que nous comptions épingler. Eh ben ! nous en avons tiré de précieux renseignements.

"1. Une vingtaine de camions de Proulx et Tetley ont participé à l'opération. Ils ont pris livraison de leur chargement à l'entrepôt de Montréal de la S.A.Q. et ils devaient ensuite se rendre directement à Québec.

"2. Cependant, ce n'est pas ce qu'ils ont fait. Par suite de certaines directives, ils se sont tous arrêtés près de Manseau à une ferme abandonnée qui, semble-t-il, avait été transformée en entrepôt. Des types déchargeaient la marchandise et, deux heures plus tard, ils la rechargeaient."

— C'est donc à cet endroit qu'on diluait l'alcool ! Ce que je ne comprends pas, c'est qu'on n'ait pris que deux heures pour effectuer le travail, car n'oublie pas qu'il fallait ouvrir les caisses, sortir l'alcool, décapsuler les bouteilles, remplacer dans chacune d'elles une certaine quantité d'alcool par son équivalent en eau, resceller les bouteilles et resceller les caisses. Tu ne trouves pas que, deux heures, c'est pas beaucoup ?

— Peut-être ! Mais, de toute façon, ça devait être possible, puisqu'ils l'ont fait.

— Et ton type, il a pu jeter un coup d'oeil sur les opérations ?

— Non ! on l'a conduit à la maison de ferme où il a pu se reposer, regarder la télé, jouer aux cartes, en attendant que le nouveau chargement soit prêt.

— Bon ! Tu as pensé à envoyer quelqu'un à

Manseau pour voir de quoi il retourne ?

— Oui ! Il doit revenir en fin d'après-midi !

— C'est tout ce que vous avez tiré du camionneur ?

— Eh ben ! Naturellement, il a été payé pour se la boucler là-dessus !...

— Donc, c'est tout ce que tu as appris ?

— Non ! Des hommes à moi se sont infiltrés chez Proulx et Tetley et ils ont pu consulter certains dossiers secrets...

— ...qui disaient ?

— Pas grand-chose, si ce n'est le nom de l'opération : SALUT, BONHOMME 3 !

"Encore ! me dis-je. Mais, ils tiennent absolument à me rendre dingue !"

— Ensuite ? continuai-je à haute voix.

— Eh bien ! Nous avons décodé un message qui, semble-t-il, mentionnait le nom du personnage qui aurait monté cette affaire. Ce qui est étonnant, c'est que c'est le même nom auquel nous avons abouti dans l'histoire de la drogue...

— Tu dis que tu connais le nom du bonhomme qui est derrière tout ça ?

— Oui ! C'est un nommé Cauchon !

— Quoi ? rugis-je. Tu as bien dit *Cauchon* ?

— C'est ça !

En prononçant le nom infâme, je jetai par hasard un coup d'oeil sur celui de mes prisonniers qui était éveillé et je remarquai qu'il avait tressailli.

— Veilleux, tu es un as ! m'exclamai-je. Laisse tomber la piste de Cauchon et essaie plutôt de réunir des preuves à propos de l'histoire de l'alcool et de celle du pouceux.

— Pourquoi veux-tu que je laisse tomber ?

— Parce que je suis plus près du but que toi. Le Cauchon en question, je vais le débusquer cet après-midi même.

— C'est donc dire que tes affaires seraient reliées aux miennes ?

— Oui, et j'ai l'impression que ce n'est là que la pointe de l'iceberg. Alors, je te laisse.

— Parfait, Dropaôtt ! Si tu veux me voir, tu sais où me trouver.

— C'est ça ! Salut !

Je raccrochai. Eh ben ! mes potes, je pense que je ne m'attaque plus à du menu fretin; au contraire, je viens de passer de la sardine à la baleine.

Je revins auprès de mes deux oiseaux aux ailes rognées. Je retirai le bâillon du deuxième et je lui plaquai mon revolver sur la tempe.

— A présent, mon vieux, tu vas me dire subito presto où je peux trouver ton patron Cauchon.

— Fouille-moi ! répondit-il. Je ne révélerai rien !

Bang ! Un coup de crosse sur la mâchoire pour l'aider à se souvenir qu'il devait être poli avec le copain bibi.

— Alors, tu parles ou tu parles pas ?

Pour toute réponse, cet impertinent lama me cracha à la figure. J'en avais marre. Je l'assommai et je lui remis son bâillon.

“De toute façon, me dis-je, je peux bien régler mes problèmes tout seul.”

Je saisis le téléphone et je composai le numéro secret qui m'avait gentiment été fourni par M. Curie.

— Salut, Bonhomme ! lança-t-on à l'autre bout du fil.

Je faillis engueuler le type, mais je jugeai préférable de retenir ma colère bouillonnante.

— Henri à l'appareil !

— Alors, vous avez maté le petit merdeux ?

— Non ! on a des problèmes avec lui ! Il faudrait que je rejoigne au plus vite M. Cauchon.

— Tu n'as qu'à l'appeler !

Des sueurs froides dans le dos de bibi.

— C'est... c'est que je n'ai pas son numéro de téléphone sur moi.

— Attends ! reprit mon interlocuteur.

Je l'entendis fouiller dans un carnet d'adresses. "Voilà !" dit-il enfin, et il me donna le numéro.

— Et il demeure où ? ajoutai-je imprudemment.

— Là, tu m'en demandes pas mal, vieux. Mais qu'as-tu donc ? T'as pas l'air d'être dans ton état normal !

— Ce n'est rien ! Le type a assommé mon copain et je suis un peu énervé.

— Veux-tu que je t'envoie des renforts ?

— Pas la peine ! Ça devrait aller.

— Pourquoi tiens-tu tant à rejoindre Cauchon ?

— Pour qu'il m'autorise à descendre ce salaud.

— J'ai l'impression qu'il ne te le permettra pas, mais t'as beau essayer. Il est très strict là-dessus, tu le sais bien.

— Oui ! En tout cas, merci vieux ! A tout à l'heure !

— Bonne chance !

Je raccrochai.

"Bon ! me dis-je. A présent, comment lui faire cracher l'adresse de sa piaule à ce salopard de

Cauchon ? Mais oui ! Eurêka !"

Je composai le numéro.

— Salut, Bonhomme ! me répondit-on une nouvelle fois (je vous jure que je vais tous les tuer, ces mecs !).

— Monsieur Cauchon, s'il vous plaît !

— Un instant !

J'attendis quelques secondes, puis j'entendis des grognements à l'autre bout du fil. Nul doute que Cauchon était en train de prendre un bain dans son auge et que je l'avais dérangé.

— Ouais !

— Ici Dutil.

— Qu'est-ce que tu veux ?

— Je viens d'épingler votre gars : Allenchère !

— Parfait, parfait ! Amène-le-moi ici !

— C'est bien, patron ! Alors, où je le conduis?

— Mais ici, voyons !

— C'est que j'ai pas votre adresse !

Nouvelles sueurs dans le dos, complétées cette fois par des tremblements des mains et des genoux.

— C'est vrai ! tu ne la connais pas. 3425, Marie-de-l'Incarnation. Tu sonneras trois fois.

— J'arrive, patron !

— Je t'attends ! Ah ! le petit salaud, il va y goûter.

Il raccrocha. Je fis de même.

Et voilà comment, en l'espace de quelques heures, je suis parvenu à dénouer les fils d'une intrigue foutument compliquée. (Oui, oui, je sais ! Si je n'avais pas eu Roseline et Veilleux, j'en serais encore à mes premiers balbutiements. Mais tout de même ! C'est qui qui a eu le génie de rassembler les éléments épars du casse-tête ?

Hein ?)

Au grand plaisir de la compagnie de téléphone, je repris le récepteur et j'appelai Yvan.

— Salut, Bonhomme ! dit-il en arrivant à l'appareil.

Là, par exemple, je n'en pouvais tout simplement plus.

— Ecoute, petit con, tu vas cesser de m'envoyer tes crisse de "Salut, Bonhomme !" ou bien je te fais un gros nez, compris ?

— Voyons ! Qu'est-ce qui te prend, Bonhomme ?

— Il me prend que j'en ai ras le bol d'entendre cette foutue expression de merde !

— Ça va, ça va ! Ne monte pas sur tes grands chevaux. Alors, que se passe-t-il ?

— Réjouis-toi, mon vieux ! repris-je, calmé. Dans peu de temps, tu ne seras plus traqué par les hommes de Cauchon.

— Que dis-tu là ?

— Je viens de retrouver Cauchon et j'ai un plan pour le réduire à l'impuissance.

— Et ton type ? Pourquoi te mêles-tu de mes affaires ?

— Eh ben ! je me suis rendu compte que mon pigeon et ton Cauchon, c'est la seule et même personne !

— Ça alors ! Je ne comprends plus rien !

— Donc, moi, j'ai deux ordres : le descendre ou le ramener à Montréal pieds et poings liés. Comme j'ai obtenu son adresse, je crois que je vais opter pour la deuxième solution... Si tu marches avec moi, il faudra que tu me jures de ne pas le descendre. On s'amènera chez lui, on le fera prisonnier et on lui piquera ses dossiers qui serviront de preuves lors du procès que les grands patrons vont lui tenir.

— D'accord, répondit-il. Donne-moi l'adresse.

J'étais à ce point excité par l'approche de la victoire que je saisis le bout de papier sur lequel j'avais noté l'adresse et que je lançai :

— 3425, Marie-de-l'Incarnation ! Il faut sonner trois fois.

Yvan raccrocha.

— Ah ! le petit con ! rugis-je. Tout ce qu'il désirait, c'était l'adresse. Il m'a laissé raconter mes salades, mais il n'attendait que le moment où je cracherais le morceau. Eh ben ! me voilà dans de beaux draps !

Qui plus était, je ne pouvais partir immédiatement à la poursuite du blanc-bec. Je devais tout d'abord protéger mes arrières en vérifiant les liens des deux voyous ainsi que ceux du proprio. Et puis, Yvan se trouvait déjà au centre-ville; il disposait donc d'une confortable avance sur moi. Ce petit imbécile allait risquer sa peau chez Cauchon et il me ferait peut-être perdre tout un lot de preuves.

Merde, merde et remerde !

CHAPITRE CINQ

Où le suspense est à ce point intense que vous devriez aller prendre une douche, car vous ruisselez de sueur sur mon bouquin...

Y a un bon ami à moi qui désirait voir plus de viande autour de l'os du bouquin. Eh ben ! mon cher Louis-Guy (Lemieux), c'est rendu qu'il y a tellement de viande que j'en ai perdu l'os de vue...

Enfin, les gars, vous auriez dû me voir me débiner. Jamais, de mémoire de bibi, je ne m'étais autant grouillé la viande (certains vulgaires diront "le cul") pour sauver un type du sort atroce qui l'attendait assurément. Je crois que je ressentais une sorte de sentiment paternel pour le gosse Yvan. C'était sans doute sa mère, avec ses "Prenez soin de mon fils", etc., qui m'avait mis dans de telles dispositions. Et puis, n'oublions pas que j'avais pris une cuite avec lui et que nous étions devenus des copains pour la vie.

Ce fut donc à la vitesse d'un éclair que je vérifiai les liens de mes prisonniers (je les assommai même une nouvelle fois afin qu'ils se tinssent tranquilles), que je descendis au bureau du proprio pour voir si tout était en ordre et que je me précipitai vers ma voiture, revolver en poche et angoisses au ventre. Je venais tout de même de perdre cinq bonnes minutes.

Je souhaitai ardemment que les flics de Québec fussent dans un état de somnolence avancée, car je m'apprêtais à en faire voir de toutes les couleurs aux automobilistes de la Vieille Capitale.

D'abord, le boulevard Ste-Anne. Paraîtrait qu'il existe une intersection dangereuse près des Galeries de la Canardière. Eh ben ! Danger ou pas danger, bibi avait décidé de passer, dût-il en trépasser ! Le feu était rouge, cinq voitures attendaient. J'appuyai sur l'accélérateur, je doublai les voitures étonnées et j'arrivai à l'intersection maudite où une sensation grisante s'empara de mon estomac car, à ce moment-là, deux bagnoles débouchèrent de l'avenue perpendiculaire. Le pire, c'est qu'elles venaient en sens inverse l'une de l'autre et qu'elles s'apprêtaient à se croiser juste devant moi. Que faire pour les éviter toutes les deux ? Je n'avais pas le choix : je fonçai. Je frôlai le pare-choc arrière de la première et, une fraction de seconde plus tard, j'égratignai celui de la deuxième.

J'avais réussi la première épreuve. Je poursuivis ma course. Je sautai du boulevard Ste-Anne à l'avenue de la Canardière, mais au lieu de prendre l'embranchement habituel, j'empruntai le chemin le plus court, soit l'embranchement qui fait passer les voitures de l'avenue de la Canardière au boulevard Ste-Anne (c'est con, dites-vous ? Non ! c'est plus rapide !).

Vous auriez dû voir la tête des automobilistes qui arrivaient au croisement et qui s'apercevaient soudain qu'une voiture fonçait sur eux à toute allure ! Première réaction des types : "Il est complètement fou ! C'est vrai que l'hôpital St-Michel-Archange n'est pas loin, mais enfin..!" Puis, face à l'audacieuse témérité dont je faisais preuve, ils se demandaient s'ils ne s'étaient pas, eux, trompés de route.

Une dame, qui apprenait à conduire, fit une crise d'hystérectomie et elle dirigea sa bagnole droit sur la devanture d'un magasin Dominion (c'était pas à cause des viandes !).

Et ça ne faisait que commencer !!! Un livreur de Western Pizza dans sa petite Volks jaune, effrayé par mon irruption subite, perdit la maîtrise de son véhicule et fonça lui aussi sur la boutique pour laquelle il travaillait. Comme il ne portait pas de ceinture de sécurité (après tout, n'est-ce pas, en ville, y a pas de danger ! — sauf quand Dropaôtt est là, mais ça, il ne le savait pas !), il fut expulsé de sa voiture, il fracassa la vitrine du restaurant et alla se péter la tête contre le mur près de la caisse. La suite de son histoire (triste à voir !) ne me regarde pas.

En passant devant l'église Saint-Pascal, je fis un signe de croix, dans le but évident d'attirer sur moi la complaisance de G.M. (Grand Manitou); mais, comme je le fis à deux mains, ma bagnole s'en fut valser pendant une seconde au hasard de la chaussée et je faillis emboutir une Mazda qui réussit pourtant à m'éviter : c'était le copain Marcel Guérin qui était au volant. Je lui klaxonnai un petit mot de remerciement, sachant que ce mec est un conducteur hors pair, sauf quand il lui prend l'idée de faucher des champs de blé d'Inde avant la récolte.

Poursuivant ma route, je passai outre le chemin qui mène à la voie surélevée (ça m'aurait sûrement conduit plus rapidement à ma destination, mais le réalisateur m'a signalé qu'une supercascade de $50 000 m'attendait boulevard des Capucins !).

Donc, boulevard des Capucins... "L'air est pur, la route est large, le clairon sonne la charge, meuuuuuuuuh !" me mis-je à chantonner.

Devant moi, deux lambins qui obstruaient les voies de droite. Je les doublai. Que vis-je alors ? Un gros camion, qui transportait des poutres et des madriers, s'avançait à ma rencontre. Le chauffeur, pris de panique, essaya de freiner, mais la chaussée était tellement glissante que son véhicule dérapa et fit un magistral tête-à-queue. Par un hasard incroyable, la benne basculante se mit en outre à fonctionner au cours de la manoeuvre.

Donc, les potes, voici comment se présentaient les choses pour votre bibi chéri, après trois secondes et quatre dixièmes : le camion, à quelques mètres de moi, me faisait voir son derrière; la benne s'était arrêtée et formait avec le sol un angle de 43°; les poutres et les madriers, qui avaient glissé jusqu'à terre, ressemblaient à une passerelle.

Ainsi, j'avais en face de moi ce qu'on appelle au cinéma une "plate-forme de cascade", et en littérature une "planche de salut". C'était ça ou bedon la mort.

Je n'eus pas besoin d'accélérer, car j'avais déjà la pédale au fond. J'abordai très bien la plate-forme improvisée et, tout comme un amateur de ski nautique, je m'élevai dans les airs. Je dois vous avouer que le paysage était très bien à cette hauteur. Je me sentais un peu comme à la foire, emprisonné dans une voiturette de montagnes russes qui eût déraillé. Ah ! quel plaisir !

Mais la descente commençait. Exaltant ! Tout simplement enivrant ! Je me mis à crier : Youuuuuuuuuuuuuuuuupppppppppppiiiiiiiiiiiiiiiiiiiiiiiiiiiiiiiiiiiiiiiiieeeeeeeeeeeeeee !

Par bonheur, ma bagnole avait été solidifiée, sinon le choc de l'atterrissage l'aurait réduite en bouillie et moi itou. Boum ! et je continuai mon petit bonhomme de chemin comme si de rien n'était, sans même jeter un coup d'oeil par le rétroviseur sur les cinq voitures qui venaient de se tamponner. ("Je vous jure que j'ai vu une auto qui volait, m'sieur l'agent ! — Moi aussi, je vous jure ! — Allons, tout le monde au poste ! que crie le policier. Vous n'avez pas honte ? Etre soûls comme ça, à trois heures de l'après-midi...")

Je ne vous raconterai pas ce qui se produisit rue St-Joseph, car vous ne me croiriez pas. Ce fut cent fois pis !

Enfin, j'arrivai rue Marie-de-l'Incarnation. 3425 : une vieille bicoque qui semblait sur le point d'être démolie. Je sortis de ma voiture et je me précipitai vers l'escalier tournant qui courait devant la façade. La porte était entrebâillée. Je la poussai lentement du pied, car je craignais un guet-apens (et peut-être même un piège !). La noirceur régnait dans le vestibule et le vestibule ne s'en plaignait pas trop. Je m'avançai à pas feutrés, les sens aux aguets, le revolver à l'affût dans mon manteau. Je me guidai en promenant ma main sur un mur tout couvert de cire. "Soyons silencieux ! me dis-je. Nul doute que les murs ont des oreilles (sales) !"

Soudain, je trébuchai contre un corps mou.

— Merde ! m'écriai-je en tombant.

Je répétai l'exclamation lorsque mes mains baignèrent dans une flaque de liquide épais.

Je me relevai et, en tâtonnant sur le mur, j'atteignis un commutateur. J'hésitai un bref instant avant d'allumer, craignant de découvrir à mes pieds le cadavre de mon copain Yvan.

Surprise ! ce n'était pas lui ! Je dis au macchabée :

— Merci, vieux !

Il me répondit :

— De rien !

Ma visite commençait très mal. En fait, comme accueil, c'était plutôt glacial. Je dirais même que ça sentait le buffet de viandes froides.

Je me penchai vers le défunt et je me rendis compte qu'on lui avait logé une balle entre les deux yeux.

— Ouais ! Et ça me donne une foutue migraine ! lança-t-il.

Je voulus lui fermer les yeux, mais il s'entêta à les garder ouverts ("Je veux assister au spectacle !" ne cessait-il de marmonner entre deux glouglous de sang).

Je me redressai et je me mis à explorer l'endroit : des pièces vides pour la plupart ou qui renfermaient des pyramides de caisses.

Enfin, tout au fond de l'appartement, une chambre qui dégageait une faible lumière. Je m'y avançai prudemment, l'arme au poing, la trouille aux fesses. Je passai la tête dans l'embrasure et le spectacle qui s'offrit à moi me remplit d'horreur : deux autres cadavres, dont celui de mon pote Yvan, gisaient sur le plancher maculé de sang.

Les larmes me montèrent aux yeux (si, si !). Je faillis piquer une crise de nerfs sur la vanité de l'existence ("Tout est vanité !" que répétait un autre copain à moi : l'Ecclésiaste), mais je réussis à me persuader que je n'en avais pas le temps. (Vous autres aussi, rentrez vos mouchoirs, car le sentiment n'a pas sa place dans les bouquins policiers. Si vous voulez brailler, achetez-vous quelque chose d'autre ! Mes livres à moi, c'est pour les durs, les ceuses qui ont le coeur à la mauvaise place, les ingrats, les moutons noirs et les brebis galeuses, les insensibles, les coeurs de pierre, les incompris, les délinquants qui n'ont pas d'âme, les *bums* de bonne ou mauvaise famille, les anesthésiés de la déchéance (alcooliques ou drogués), les parvenus, les bandits, les exploiteurs et même les critiques littéraires. Alors, si vous ne faites pas partie de l'une ou l'autre de ces catégories, fermez tout de suite le bouquin, car ce qui vient après, c'est pas pour vous !)

Tu es toujours là, hypocrite lecteur, mon semblable, mon frère ? Bon ! cette huitième gression étant faite, poursuivons !

Je devais me presser au cas où des gens auraient prévenu la police. En outre, Cauchon attendait peut-être d'autres clients et je ne tenais pas à me trouver sur les lieux en même temps que l'ensemble de la bande.

D'après la position des corps, j'en déduisis qu'Yvan avait tout d'abord essayé de discuter avec Cauchon, mais que celui-ci avait tiré un revolver d'un des tiroirs de son bureau et qu'il avait abattu mon copain à bout portant. La première balle n'avait pas été mortelle, semblait-il, puisqu'Yvan avait lui aussi tiré sur Cauchon. Enfin, vous voyez le genre de fusillade : "Tu me tires, je te tire ! — Ecoute, tu as tiré une fois de plus que moi ! — Mais non ! C'est à mon tour !" A tel point qu'ils finissent par vider leur chargeur et qu'ils s'écroulent en continuant de s'engueuler ferme à savoir lequel des deux doit tirer la prochaine balle.

Je laissai les mecs à leur dernier repos et je me mis à fouiller le bureau de Cauchon ainsi qu'une filière qui somnolait au fond de la pièce. Eh ben ! mes amis, j'en appris des choses ! A la lettre "i" ("i" comme dans : "A l'Intention de Papartchu Dropaôtt"), je découvris une foule de dossiers noirs sur les activités du sieur Cauchon pendant le Carnaval de Québec :

Dossier sur les Pee-Wee : réseau de *scalpers* pour l'achat et la revente à prix fort des billets pour les matches de finale; système de paris; arbitres stipendiés, etc.

Dossier sur le concours de la Bougie du Carnaval : infiltration chez le fabricant pour connaître les bougies gagnantes; description détaillée du plan destiné à "remettre" les bougies gagnantes à des individus choisis à l'avance...

Dossier de l'élection de la Reine : système de paris, description de la méthode utilisée pour truquer l'épreuve finale (les capsules étaient pipées).

Dossier de la vente de drogues pour les festivités.

Dossier de l'extorsion des commerçants.

Dossier sur l'hôtellerie (très intéressant !) : on avait réparti les établissements en hôtels "protégés" et en hôtels "non protégés".

1. Les hôtels "non protégés", c'est-à-dire ceux dont les propriétaires n'étaient pas dans le coup. On avait réservé les chambres quelques mois à l'avance (une à une et sous plusieurs noms). Puis, on avait mis sur pied un réseau qui se chargeait de recruter les clients. En payant un montant de $15 à $25, un individu pouvait obtenir une réservation (le prête-nom annulait tout simplement la sienne). Les hôtels étant pour la plupart bondés (en apparence seulement !), bien des gens acceptaient de payer le gros prix à l'intermédiaire qui leur permettait de se loger à Québec.

2. Les hôtels "protégés". Les formalités étaient réduites de beaucoup pour les organisateurs, car l'hôtelier était de connivence avec eux. Il recevait un certain pourcentage sur les profits. Vous avez vu comment procédait le proprio de mon hôtel ? Donc, point n'est besoin de m'étendre là-dessus.

Enfin, le fameux *Dossier Alcool* : les trouvailles de Veilleux s'accordaient parfaitement avec ce que je découvris dans la chemise. Pourtant, j'obtins un renseignement primordial qui changeait toute la face de l'affaire : l'arrêt des camionneurs aux environs de Manseau n'était qu'un subterfuge pour brouiller les pistes en cas d'enquête. De cette façon, la responsabilité de l'opération retombait tout entière sur la pègre.

Au fond, il en était autrement : *en arrivant à l'entrepôt de Montréal, les stocks étaient d'ores et déjà dilués.* C'est donc que l'initiative de l'affaire revenait aux compagnies de fabrication elles-mêmes.

Je mis le dossier de côté pour en poursuivre la lecture dans un endroit plus tranquille.

Je fouillai encore et je trouvai une longue liste de noms bizarres, pour la plupart sobriquets ou identités codées. Ce devait être la liste des membres du réseau. En marge de chaque nom, deux lettres et un chiffre : SB-1, SB-2, SB-3, etc. Je me rappelai alors que chaque dossier portait un nom de code (ainsi, celui de l'Alcool : Salut Bonhomme 3). Les sigles devaient donc indiquer les affectations de chaque individu.

Au haut de la feuille, on avait griffonné une étrange phrase : SSAALUUUTTT BBOONNHOOMMEEE. "Eh ben ! me dis-je. Encore cette foutue expression, écrite cette fois par un alcoolique qui voyait double... et même triple !"

Je pliai la liste et je la glissai dans mes poches. Je m'apprêtais à rassembler les dossiers et à quitter les lieux quand j'entendis dehors des crissements de freins et des claquements de portières.

— Merde! m'écriai-je. Cette fois, je suis foutu.

Je laissai là les dossiers et je scrutai la pièce dans l'espoir de trouver une issue. Au fond de la chambre, il y avait une porte. J'y courus. Elle donnait sur une petite salle de bains. Je n'avais pas le choix, car déjà j'entendais des éclats de voix dans le vestibule. Je me cachai donc derrière la porte, en espérant que personne ne songerait à me rendre visite. De toute façon, le cas échéant, j'étais prêt à vendre chèrement ma peau. (Qui vient de chuchoter : "$3.99 ?" ?)

D'après les pas qui se répercutèrent dans le couloir et les éclats de voix qui retentirent à la vue des cadavres, j'estimai le nombre de types à une dizaine. Qui plus est, je crus distinguer les accents de mes deux prisonniers (s'ils me trouvent, je suis doublement mort !).

Les mecs semblaient plutôt désemparés : leur patron venait d'être assassiné.

— Faut faire vite, les gars ! Au cas où la police serait en route... cria l'un des lascars qui, de toute évidence, désirait prendre la relève de Cauchon. Débarrassez-moi la maison de tous les dossiers... Le vide complet, vous entendez !

— D'accord ! hurlèrent les autres en se dispersant dans l'appartement.

Et le déménagement commença. Soudain, des pas se rapprochèrent de ma planque.

"Je suis fini !" m'exclamai-je intérieurement, tant je suis peu habitué à un suspense de ce genre (ce qui me rappelle que le prix du suspense a presque doublé au cours des derniers mois et que, si je continue à vous jouer ainsi sur les nerfs, mon éditeur-producteur va devoir déclarer faillite !).

On ouvrit la porte. Après quelques secondes, on la referma. J'entendis :

— Y a rien dans la salle de bains !

— As-tu bien regardé ? demanda le nouveau patron.

— Oui, oui, il a bien regardé ! lançai-je afin de ne pas avoir à subir une autre perquisition.

Satisfaits, les mecs revinrent au déménagement et aux macchabées qui gisaient sur le plancher.

— Alors, que fait-on des cadavres ?

— On les roule dans une couverture et on va les jeter dans le fleuve... à moins que le patron ne s'y oppose ! (Sans doute le "grand boss" de Montréal ! Ainsi, Cauchon n'était qu'un subalterne... Intéressant !)

— C'est vrai ! reprit un autre qui entrait. Il faut prévenir le patron. Tu sais comment le rejoindre, toi, ti-Jos ?

— Bien sûr ! Il suffit de connaître le code.

— Et c'est quoi, le code ?

— Salut, Bonhomme !

— C'est ingénieux !

— Plus que tu ne crois !

Enfin, vingt minutes plus tard, l'appartement était vide et les types avaient disparu. Je pus sortir de ma cachette.

J'avais quatre choses à faire : 1. prendre Roseline à l'hôpital; 2. voir Veilleux; 3. rendre compte de la situation à Mattheau; et 4. apprendre à Carmen la nouvelle de la mort d'Yvan.

Je commençai donc par l'hosto où Roseline m'attendait depuis déjà quinze minutes.

— Tu as l'air bouleversé ! me dit-elle, après m'avoir embrassé.

— Ce n'est rien ! Un de mes copains vient de se faire descendre. J'ai découvert son cadavre il y a à peine une demi-heure.

— C'est affreux !

— C'est la vie ! conclus-je, comme ça, philosophiquement.

Je fis halte devant *Chez Ti-Mé*. Tandis que Roseline m'attendait sagement en écoutant la radio, j'entrai à la taverne pour saluer Veilleux.

— Alors, ton type qui est allé à Manseau ?

— Il vient de téléphoner : aucune trace.

— Et toi ? As-tu appris quelque chose d'autre ?

— Non ! Et toi ? me demanda-t-il.

— Je viens de jeter un coup d'oeil sur le dossier de l'affaire. Malheureusement, je n'ai pas pu le consulter en entier. J'ai pourtant appris que l'arrêt des camions à Manseau, ce n'était qu'un leurre, puisque l'alcool était d'ores et déjà dilué en arrivant à l'entrepôt de Montréal.

— Et ça signifie quoi, selon toi ?

— Que c'est les compagnies de fabrication qui ont monté l'affaire et que, pour ne pas être soupçonnées en cas d'échec, elles ont fait un pacte quelconque avec la pègre.

— Un pacte ?

— Oui ! Une sorte d'entente ! La pègre assumerait la responsabilité de l'opération en échange d'une participation aux profits.

— Très intéressant ! Mais ça nous mène où ? Nous n'avons aucune preuve. Certes, y a les bouteilles d'alcool...

— Les compagnies répliqueront qu'il s'agit d'une erreur de fabrication. Et ton camionneur ?

— On l'a retrouvé ce matin dans la banlieue, le corps troué de balles.

— C'est emmerdant, tout ça ! Ecoute, continue le travail. Moi, je dois te laisser.

— T'as bien le temps de prendre une petite bière !

Il poussa deux draffes vers moi. Je ne refusai pas son offre. J'en profitai même pour les lui payer. L'affaire de l'alcool et celle de la drogue se rapportant indirectement au Carnaval, je crus honnête de lui remettre une partie de l'argent qu'on m'avait alloué pour mon enquête.

Je terminai mon verre, je serrai la main à Veilleux et je quittai les lieux.

Je retrouvai Roseline et nous prîmes la direction des bureaux de l'organisation du Carnaval. La jeune fille m'accompagna.

Mattheau me reçut à bras ouverts.

— Alors, monsieur Papartchu ?

— Eh bien ! J'ai découvert le pot aux roses !

Je lui racontai les événements des dernières heures.

— Mais c'est très grave, ce que vous me dites là, monsieur Papartchu. Il faudra absolument que j'en fasse rapport à mes collègues. Nous devons prendre une grave décision à ce propos. Certes, la police doit être prévenue; pourtant, la divulgation de cette affaire risque de causer un tort énorme au Carnaval de Québec (limité). Imaginez un peu ! Si vos renseignements sont exacts, les citoyens et les touristes seraient rançonnés sans vergogne par la pègre qui aurait la mainmise sur toutes les activités carnavalesques. C'est horrible !

— Enfin, monsieur Mattheau ! Je viens de vous raconter ce que je sais. C'est maintenant à vous de prendre les mesures appropriées. Quant à moi, je poursuis mon enquête, mais à titre personnel.

— De toute façon, monsieur Papartchu, je vous remercie infiniment, en mon nom personnel et en celui des autres organisateurs. Vous vous êtes une fois de plus montré à la hauteur de votre réputation. Si je puis vous aider en quoi que ce soit...

— Justement ! J'aimerais savoir quelles sont les activités des duchesses aujourd'hui.

Il me fit un clin d'oeil.

— Là aussi, dit-il en souriant, vous êtes à la hauteur de votre réputation.

Je protestai, surtout que Roseline se trouvait à mes côtés, mais il ne voulut rien entendre. Il m'apprit que les duchesses participaient à un banquet dans la soirée et que, par conséquent, on leur avait recommandé de se reposer chez elles pendant la journée.

— Ménagez-les tout de même un peu, monsieur Papartchu ! Elles ont un week-end chargé !

— Ne craignez rien ! repris-je. Je vais simplement rencontrer la duchesse de Montmorency pour une affaire personnelle.

— Ah bon ! Charmante enfant que cette Carmen 1re !

Sur ce, je me levai, je serrai la main à Mattheau et je quittai les lieux en compagnie de Roseline.

— Veux-tu que je t'accompagne chez la fille ? suggéra-t-elle. Tu sais, la présence d'une femme pourrait être réconfortante.

— Tu es bien gentille ! lui dis-je et je l'embrassai.

Nous prîmes donc la direction de Beauport.

La bicoque des Bizet était tout aussi délabrée que la première fois que je l'avais vue. Elle avait grand besoin d'une couche de peinture, de nouvelles gouttières, d'un nouvel escalier, etc. Enfin, le sens de l'esthétique, c'est pas donné à tout le monde !

Je sonnai. Un bonhomme en bedaine, la cannette de bière à la main, vint nous répondre. Il portait une barbe de plusieurs jours et ne semblait pas disposé à améliorer son apparence.

— Qué cé qu'vous voulez ?

— Vous êtes M. Bizet ?

— Ouais !

— J'aimerais parler à votre fille.

— Laquelle ? répliqua l'autre. J'en ai cinq !

— Carmen !

— Ah bon ! Entrez !

Un vestibule vieillot, un tapis usé jusqu'à la corde. Le bonhomme Bizet nous conduisit au salon : meubles rares et vétustes.

— Carmen ! cria-t-il. Y a quelqu'un qui veut te voir !

Puis, se tournant vers nous, il ajouta : "Voulez-vous une bière ? On n'est pas riches, mais on sait recevoir !"

— Non, merci !

Soudain, il sembla se rendre compte qu'il n'était pas très décemment vêtu et il lança avec un rire qui sonnait faux :

— S'cusez ma tenue ! Mais je suis en chômage, v'comprenez !

Sa fille entra.

— Papartchu Dropaôtt ! s'exclama-t-elle.

Son père, qui était tout de même un peu gris, lui jeta un regard sévère :

— Carmen, je t'ai déjà dit de ne pas sacrer dans la maison !

Roseline et Carmen éclatèrent de rire. Moi, je ne trouvai pas ça drôle du tout. Enfin, la duchesse dit à son papa :

— Laisse-nous ! C'est une affaire personnelle !

— Comme tu veux, ma petite ! Et il sortit.

Carmen referma la porte du salon et vint

s'asseoir près de nous.

— Pourquoi êtes-vous ici, monsieur Papartchu ? Au fait, vous avez eu ma photo ?

— Oui, et je t'en remercie beaucoup. Mais ce n'est pas le motif de ma visite.

Elle me fit un clin d'oeil et susurra :

— Dommage ! Pourquoi alors ?

— C'est à propos d'Yvan !

— Quoi ? Vous le connaissez ? Eh ben ! ça, c'est formidable ! Comment le trouvez-vous ? Il est gentil, n'est-ce pas ? Un peu enfant, mais...

Et elle se mit à me vanter ses qualités. Je dus l'interrompre.

— Ecoute, jeune fille, ce que j'ai à te dire est plutôt difficile. Tu vois, sa mère m'avait chargé de le surveiller afin qu'il ne fasse pas de conneries...

— Je ne comprends pas ! Vous connaissez aussi sa mère ?

Je me vis donc dans l'obligation de tout lui raconter en commençant par le fameux appel de la veuve Allenchère jusqu'à la cuite que j'avais prise avec le jeune Yvan.

— Oui, ce salaud de Cauchon ne veut pas lui remettre l'argent qu'il a investi. Quand je pense que j'ai couché avec une telle ordure... Yvan a bien raison de vouloir lui régler son compte.

— Eh bien ! Il le lui a réglé ! rétorquai-je.

— Quoi ? Il l'a tué ? Comment l'avez-vous su ?

— Parce que je viens de le voir !

Je trouvais que les choses commençaient à traîner en longueur. Je cessai donc de ménager les sentiments de Carmen et je lui avouai tout d'une traite ce qui s'était passé. Contrairement à ce que nous nous attendions, Roseline et moi, la jeune fille ne broncha pas, ou presque. Elle ferma les yeux pendant un instant, comme si elle allait perdre connaissance, elle eut un léger tremblement des mains, suivi d'un frissonnement de tout le corps, puis elle rouvrit les paupières; le regard que j'aperçus à ce moment-là me fit frémir : un regard plein de haine, d'une haine à froid, mais féroce et sanguinaire. Carmen avait aussitôt aiguillé sa douleur sur la vengeance. Elle reprit très calmement :

— Vous dites que vous avez trouvé une liste des membres de l'organisation ? Puis-je la voir ?

Nono comme je suis (là, c'est moi qui le dis ! Alors, je n'ai pas besoin de vos commentaires stupides !), je ne me doutai de rien et je lui remis la liste. Elle y jeta un coup d'oeil, s'attarda, sembla-t-il, à l'énigme de "SSAALUUUTTT BBOONNHOOMMEEE", puis elle se leva, glissa le papier dans son corsage et se dirigea vers le téléphone.

— Qu'allez-vous faire ? demanda Roseline.

— Ce n'est pas de vos affaires ! répondit-elle sèchement.

Elle composa un numéro de téléphone interurbain et se mit à parler à toute vitesse. Au fur et à mesure, sa voix s'éraillait et des sanglots commençaient à teinter ses paroles. Enfin, de grosses larmes vinrent rouler sur ses joues. (Je sais, je sais ! Le bouquin n'est plus tout à fait drôle, mais c'est votre faute, aussi : vous voulez du suspense, vous voulez du suspense ! Et moi, je me tue à vous répéter que l'humour et le suspense, ça ne fait pas bon ménage ! Alors, comme vous semblez préférer le suspense, eh ben ! arrangez-vous avec ce que je vous donne ! Et si vous avez envie de brailler, allez brailler ailleurs, compris ?)

— Oui, ils l'ont tué, les salauds ! Même que je ne pourrai pas récupérer son corps ! Oui, je veux que tu réunisses la gang et que vous descendiez le venger ! J'ai la liste, oui ! Je vous attends demain ! Ah ! les salauds ! les salauds ! Ils m'ont tué mon Yvan !

Et caetera, et caetera...

Je me levai. Roseline m'imita.

— Inutile de la consoler. Sa consolation, ce sera d'assister au carnage qu'il y aura demain. Et puis, merde ! qu'ils s'entre-tuent donc tous ! Moi, je m'en lave les mains !

Je pensai à l'énigme de SSAALUUUTTT BBOONNHOOMMEEE, et je me dis : "Je vais tout de même essayer de résoudre ce rébus. Après, je retourne à Montréal..."

Carmen avait raccroché. Elle s'avança vers nous.

— Je vous remercie, monsieur Papartchu !

— Et ça va donner quoi, cette tuerie ? lançai-je. Ça ne ramènera pas Yvan...

— Non, mais je suis sûre qu'il m'approuverait d'agir ainsi. C'est la règle du milieu : la vengeance est de mise lorsqu'il y a eu trahison.

— Mais Cauchon est mort !

— Ce n'est pas suffisant !

Je haussai les épaules et je répétai les mots que j'avais jetés quelques secondes plus tôt : "Ah ! Et puis qu'ils s'entre-tuent donc tous !"

Ensuite, comme si j'avais regretté cette phrase (moi aussi, je ne suis pas toujours sûr des motifs de mes gestes), j'ajoutai : "En tout cas, jeune fille, si tu as besoin de quoi que ce soit, n'hésite pas à m'appeler."

Je lui donnai le nom du nouvel hôtel où je comptais habiter pendant les prochains jours (je n'envisageais même pas de retourner chez Augias Curie). Elle sourit et nous reconduisit à la porte. Nous sortîmes.

— Bizarre de manière d'exprimer leur douleur, qu'ils ont ces gens-là ! dis-je à Roseline.

Elle acquiesça. Nous arrivâmes à la voiture. J'ouvris la portière à ma donzelle et je contournai l'automobile. A ce moment-là, une grosse Buick noire passa à toute allure. Lorsqu'elle fut vis-à-vis de moi, l'un des occupants ouvrit sa fenêtre et m'envoya une rafale de mitraillette. Je m'écroulai en murmurant :

— Merde ! J'ai dû laisser ma trace rue Marie-de-l'Incarnation !

Satisfaits et certains que j'étais mort, les types s'enfuirent.

Roseline avait échappé un cri strident. Elle accourut vers moi, me prit dans ses bras et se mit à pleurer (encore du mélo, les gars : vous en vouliez, eh ben ! vous êtes servis ! Cette séquence-là, elle s'intitule : "La mort d'un héros !").

Déployant une force incroyable pour sa petite taille, la jeune fille souleva le cadavre de Dropaôtt et parvint à le faire glisser sur la banquette arrière de la voiture. Elle retrouva les clés dans la neige, s'assit au volant et fit démarrer la bagnole à toute vitesse. Par bonheur, elle savait conduire. En moins de temps qu'il n'en faut pour crier "lapine", elle arrivait à l'urgence de l'hôpital de l'Enfant-Jésus. Dans son énervement, elle avait oublié qu'elle devait plutôt se rendre à la morgue, mais enfin !

Remue-ménage à l'hôpital : on reçoit rarement de la grande visite, surtout quand elle entre les pieds devant. Une civière court dans les couloirs cirés (les brancardiers font deux ou trois chutes, renversent une chaise roulante dans laquelle se reposait une opérée des varices qui venait de faire son jogging quotidien, font sauter les béquilles à un amputé des deux jambes qui n'a pas du tout le pied marin, et pis encore). On embarque la dépouille encore chaude de bibi (vous voyez que je ne suis déjà plus moi) et on refait en sens inverse le chemin de croix jusqu'à la salle d'opération. Tout comme un Petit Poucet, le corps du héros laisse derrière lui une traînée de sang que suit avec délice un vampire de 308 ans qui, depuis qu'il n'a plus de dents, est condamné à boire à la bouteille (de la Croix-Rouge).

Heureusement, le docteur Howitt Willbe est de passage à l'hôpital. Il va réconforter Roseline qui pleure à chaudes larmes.

— Nous allons le sauver ! affirme-t-il pompeusement, pour impressionner la galerie.

— Mais il est mort ! qu'objecte Roseline.

— Nous allons le sauver tout de même ! riposte le docteur Kidney qui entre à cet instant.

Et comme ils n'ont rien à foutre en attendant les résultats de l'intervention chirurgicale, ils demandent à Roseline si elle a des problèmes psychologiques à régler.

— Nous sommes là pour ça ! clame le docteur Willbe.

— Nous nous oublions totalement pour les autres ! renchérit le docteur Kidney qui est fort en verve.

— Je suis tout à fait normale ! répond Roseline.

— C'est impossible ! répliquent les deux éminents disciples des Sculapes (les Sculapes, c'est deux frères qui ont inventé le scalpel, le bistouri et la scie mécanique !).

— Et vous autres, quels sont vos problèmes ? s'enquiert la jeune fille.

— Il y en a trop, n'est-ce pas, docteur Kidney ?

— Bien sûr, docteur Willbe ! Nous en aurions pour des années à vous les raconter.

— Y a surtout le fait que les gens nous prennent pour des robots thérapeutes qui n'ont pas d'âme, pas de sentiments, pas de besoins...

— Comme je vous approuve, docteur Willbe ! Moi, par exemple, eh ben ! je n'ai pas dormi depuis au moins trois ans ! Je ne suis pas allé au petit coin depuis dix-huit mois et je n'ai pas couché avec une femme depuis sept ans. Au fait, mademoiselle, ça vous intéresserait de baiser avec moi ?

— Voyons, docteur Kidney ! Un peu de tenue. Vous oubliez votre rôle : tout donner, mais ne rien prendre.

— Justement ! Je voudrais lui donner un peu de moi-même, de ce dont j'ai en excès.

— Docteur Kidney ! Vous me décevez ! Vous pourriez vous retenir encore pendant quelques années.

— Facile à dire, docteur Willbe ! A votre âge, ce ne sont sûrement pas les besoins sexuels qui vous font mourir !

— Je vous demande bien pardon !

Alors, les deux aimables médecins se mettent

à s'engueuler et décident d'aller régler leur différend dans la cour de l'hôpital. Le choix des armes revenant à l'offensé, c'est-à-dire au docteur Willbe, celui-ci choisit un combat au pistolet à eau. Mais rassurez-vous ! Les deux brillants médecins ne reviendront plus au petit écran, car les pistolets contiendront en fait de l'acide chlorhydrique. Hi ! hi ! hi !

Pendant ce temps, dans la salle d'opération, c'est la pagaille : l'anesthésiste est complètement "gelé" après avoir "sniffé" une bonbonne de neige carbonique; le chirurgien se sert de forceps pour retirer les balles du cadavre de Dropaôtt; qui plus est, le travail se fait dans la joie la plus complète, puisque l'anesthésiste (celui qui est "gelé") a ouvert par mégarde (ou plutôt par ségarde !) la bonbonne de gaz hilarant. C'est vous dire le plaisir qui règne là-bas. Même la dépouille de Dropaôtt se tord sur la table.

Une infirmière, pour mettre un peu de musique, se met à taper sur le tambour stérilisateur, tandis que l'assistant chirurgien, un ancien boxeur, s'amuse à frapper la poche de contrôle de la respiration.

Enfin, le docteur Bibi Stouri déclare à son assistant :

— Terminez pour moi ! J'en ai marre ! Je préfère pratiquer des autopsies sur des cadavres vivants !

Son assistant acquiesce et termine à sa place.

Trois heures plus tard, la dépouille est ramenée en excellente santé (on peut même plus crever malade, maintenant !) dans une chambre du huitième étage qu'occupe déjà un "chronique du foie" (il en est à sa deuxième ou troisième cirrhose !). Le mec est d'ailleurs en train de se réhabiliter en avalant un flacon de parfum qu'il a piqué dans le sac à main de sa femme.

Comme les médecins ordonnent le "repos complet" pour le cadavre de Papartchu (en latin, "repos complet" se dit : *requiescat in pace*), les infirmiers saisissent le cirrhotique et le balancent par la fenêtre. Le pauvre type, tout à fait désorienté, court à toutes jambes chez le premier fabricant de cercueils venu. Celui-ci lui offre gentiment une dernière bière !

La charmante Roseline fait la veillée du corps. (Si vous voulez savoir quand c'est, l'enterrement, passez au chapitre suivant.)

Signalons enfin que cette neuvième gression, à caractère médical, vous a été présentée par :

SICK & SICK LTD, la compagnie pharmaceutique aux 3 400 produits inutiles, inoffensifs et inopérants (essayez notre nouveau PLACEBO, le remède factice à tous vos problèmes !)...

Et par :

le groupe PHARMIDABLE, soixante-quinze pharmacies regroupées pour vous offrir de tout : chaussures, vaisselle, ameublement, appareils électriques, épicerie, automobiles, journaux, livres, restaurant (nous avons même un employé qui se charge de prendre en note vos ordonnances médicales et de les transmettre au centre de distribution de médicaments le plus proche — vous passez chercher vos remèdes la journée même !).

CHAPITRE SIX

Où la foule en délire et en boisson crie : "Ssaa-luuuttt, Bboonnhoommeee !"

Alors, les potes, vous croyez toujours que je suis mort ? Eh ben ! détrompez-vous, car c'est pas vrai !

En fait, c'est vers huit heures trente et une du soir que je ressuscitai. Roseline qui, avec l'histoire de son cousin et la mienne, était en voie d'obtenir un diplôme d'infirmière, sembla très heureuse de me voir réapparaître parmi les vivants.

— Enfin ! s'exclama-t-elle. Tu nous reviens !

Elle se pencha vers moi et m'embrassa. Je vous assure que ce baiser valait tous les remontants du monde. Je me sentis prêt à affronter la vie et ses vicissitudes.

— Ai-je été tué gravement ? demandai-je.

— Tu as reçu une dizaine de balles mais il n'y en a que trois qui ont atteint les parties vitales.

— Merde ! Tu ne veux pas dire que j'ai été blessé à cet endroit ?

— Non, non ! j'ai dit "vitales", pas "génitales''.

— Ah bon ! Ouffff ! Mais alors, où se sont-elles logées, ces balles mortelles ?

— Y en a une qui t'a effleuré le petit doigt de la main gauche; une autre qui t'a effleuré l'oreille droite, et la dernière s'est logée dans ton épaule.

— Eh bien ! je l'ai échappé belle ! Et les sept autres balles ?

— Trois d'entre elles ont fait éclater la vitre de côté; y en a deux qui ont troué la portière; et les deux dernières ont percé la banquette avant !

— Qu'est-ce que tu me racontes là ?

— La vérité !

— Mais je n'ai pas été tué gravement, alors ?

— C'est vrai !

— Quel est l'imbécile qui a fait croire à mes lecteurs que j'étais mort ?

— Toi, voyons ! Dans ton délire !

— J'ai déliré après avoir été blessé aussi légèrement ?

— Tu as eu plus de peur que de mal !

— Je vois bien ça !

Nous poursuivîmes notre conversation jusqu'à ce que deux flics en civil entrent dans la chambre. Ils me questionnèrent sur l'origine de ma blessure et prirent des renseignements sur la fameuse Buick. Je les priai de ne rien divulguer sur mon état de santé : le silence complet était nécessaire si l'on voulait faire croire aux bandits qu'ils m'avaient bel et bien occis.

A dix heures, on m'obligea à me coucher. Roseline partit en me disant qu'elle reviendrait peut-être le lendemain.

Je passai une nuit horrible, peuplée de cauchemars affreux. J'étais attaché sur une place publique et la foule assemblée criait pour me torturer le cerveau : "SALUT, BONHOMME !"

* * *

Je fus réveillé très tôt le lendemain matin : on distribuait le petit déjeuner qui comportait jus de pamplemousse, biscuits et café. Les grands malades avaient droit en outre à une hostie, tartinée ou non.

Je pus ensuite me prélasser toute la journée en réfléchissant à l'énigme du "Salut, Bonhomme !" qui, sans aucun doute, avait un rapport direct avec la tentative d'assassinat dont j'avais été la cible.

Le type que j'avais entendu rue Marie-de-l'Incarnation avait bien précisé que cette phrase permettait de rejoindre le grand patron. Mais comment ?

Je notai sur un bout de papier les mots "SSAALUUUTTT BBOONNHOOMMEEE" et je me mis à les fixer comme pour en extraire la substance cachée.

En premier lieu, quel était le principe du codage ? La multiplication des lettres figurait-elle une suite de chiffres ou encore permettait-elle aux deux mots de former un message ?

Je vérifiai les deux hypothèses l'une après l'autre en commençant par celle des chiffres. J'obtins la série de chiffres suivante : 2-2-1-3-3-2-2-2-1-2-1-1-3 ou, si vous préférez :

2 2 1 3 3 2 2 2 1 2 1 1 3
S A L U T B O N H O M M E

Ces chiffres ne me disaient rien... ou plutôt, si ! mais c'était tellement lointain dans mon esprit que je ne parvenais pas à mettre le doigt dessus.

"Procédons autrement !" me dis-je.

Si j'éliminais le "l", le "h" et les deux "m" qui n'étaient pas dédoublés, j'obtiendrais : 2-2-3-3-2-2-2-2-3. Je sentais que je touchais au but. Il ne me restait qu'à faire le rapprochement indiqué entre ces chiffres et l'intuition que j'avais en tête. Je décidai de laisser mûrir la chose et je m'attaquai à la deuxième hypothèse : le message contenu dans la phrase.

Je découpai vingt-cinq petits morceaux de papier sur lesquels j'inscrivis les lettres qui figuraient dans les deux mots. Puis, comme pour un casse-tête, je m'amusai à chercher un ordre qui eût un sens. J'y travaillai une partie de l'après-midi. Enfin, vers cinq heures, l'éclair se fit. Du même coup, la situation devint claire comme de l'eau de roche.

Les chiffres : 223-3222, poste 23, un numéro que je connaissais bien.

Le message : "Son nom est Bouboule Mattheau" !

Le grand patron, c'était donc Mattheau. Je n'en revenais pas. Je compris pourquoi on avait tenté de me descendre et comment les tueurs avaient su que j'étais chez Carmen. Mattheau avait soudain été effrayé par les progrès de mon enquête et, sachant que je ne comptais pas abandonner la partie immédiatement, il avait décidé de me faire supprimer.

Tout s'éclairait : sa présence au sein de l'organisation du Carnaval lui permettait de superviser les activités malhonnêtes de ses sbires. Comme dans l'affaire de l'alcool, on s'était servi d'une couverture : Cauchon.

Ce que je ne comprenais pas, c'était pourquoi il avait fait appel à moi pour l'histoire de l'extorsion. Sans doute y avait-il été poussé par les autres organisateurs et, afin d'éliminer tout soupçon, il avait lui-même pris les devants. Très habile de sa part !

A six heures, je téléphonai à Carmen : une idée brillante (comme d'habitude !) venait de germer dans mon cerveau.

— Bonjour jeune fille ! Ecoute, j'ai une proposition à te faire ! Au lieu de lancer les copains d'Yvan dans la bagarre, pourquoi ne pas faire appréhender toute la bande ? Tu ne trouves pas que ce serait plus logique et que ta vengeance serait autrement mieux assouvie ? D'ailleurs, j'ai découvert le nom du chef...

— Moi aussi ! répliqua-t-elle.

Merde ! Mais, au fait, elle bluffait peut-être.

— Oui ? Et qui c'est ? demandai-je.

— C'est Mattheau ! Je suis sûre qu'il se croit en sécurité. Il ne le sera plus ce soir, car je vais le faire descendre, lui et toute sa clique. Ils vont payer, les salauds !

Elle raccrocha.

J'échappai une quinzaine de jurons l'un à la suite de l'autre. Rien à faire ! Le défilé de nuit deviendrait sans doute le carnage du siècle ! Il y avait même risque que certains innocents dussent payer de leur vie un tribut à Carmen 1re.

Je devais à tout prix retrouver Mattheau et le tirer du piège qu'on lui tendait. Il me le fallait vivant pour pouvoir ensuite le livrer à la police. Mais, devais-je prévenir cette dernière de ce qui se préparait ? Je jugeai préférable de le faire. Voici ce qu'on me répondit : "Ecoutez, monsieur, nous n'allons sûrement pas intervenir dans une telle histoire et risquer la vie de nos policiers. Qu'ils s'entre-tuent ! Nous, on s'en fout ! C'est même un bon débarras !"

Comme les repas des hôpitaux sont plutôt frugaux et qu'il me fallait un surcroît d'énergie pour accomplir mon programme de la soirée, je me déguisai en courant d'air et je quittai la boîte en douce.

La bouffe que je me payai me redonna toute ma vigueur. Puis, j'appelai au bureau d'organisation du Carnaval : c'était la fièvre ! On mettait la dernière main aux préparatifs du défilé de nuit et les gens étaient on ne peut plus énervés. J'appris que Mattheau se trouvait quelque part sur le parcours que devait emprunter la parade. Il vérifiait une dernière fois les dispositifs de sécurité.

Je consultai ma montre : sept heures quarante-cinq. Le défilé allait s'ébranler dans quinze minutes. J'allai récupérer ma voiture qui dormait dans le stationnement de l'hôpital et je partis en vitesse. Direction : Haute-Ville. Je dus stationner assez loin de la rue St-Jean : on interdisait la circulation automobile aux abords du parcours. Je continuai à pied.

Je me mêlai à la foule de fêtards qui remontaient vers Place d'Youville. On chantait en groupes. Certains faisaient résonner une sorte de trompette en plastique qui émettait le meuglement d'une vache en train de mettre bas; d'autres se tenaient par la main et couraient dans la rue. Il y en avait de tous les âges, mais les jeunes dominaient, en nombre et en allégresse. Le tintement des flacons d'alcool, le glouglou de la beuverie, la fraternité alcoolique, les cris et les rires ne cessaient de rappeler que nous étions en plein carnaval, en pleine débauche orale : le peuple opprimé se défoulait avec la complicité des autorités, des nantis, qui assistaient à la fête du haut de leurs balcons, comme les rois jadis, du haut des tours de leur château; parodie de révolution, chanson de geste sur la libération; cette parodie amusait fort les notables qui savaient que le lendemain, ils reprendraient les rênes du pouvoir et remettraient à leurs esclaves, épuisés mais satisfaits, le collier de leur servitude. D'ailleurs, le Carnaval est-il autre chose ? Comme il s'agissait là de ma dixième gression, je vous rappelle que j'ai bel et bien tenu la promesse que je vous ai faite au début de vous présenter dix gressions (je tiens toujours mes promesses !).

Au hasard de ma promenade, j'aperçus un organisateur du Carnaval qui discutait avec un policier. Je me rendis aussitôt auprès de lui.

— Ah ! bonjour, monsieur Papartchu ! Comment allez-vous ? Vous avez l'air un peu faible...

— C'est qu'on a tenté de m'assassiner...

— Quoi ? Racontez-moi !

— Je n'ai pas le temps ! Dites, vous savez où je pourrais trouver M. Mattheau ?

— Vous aussi, vous le cherchez ?

— Comment, moi aussi ?

— Eh oui ! Un individu m'a posé la même question tout à l'heure.

“Merde ! me dis-je. La gang à Yvan est déjà sur les lieux. Nul doute qu'ils disposent d'une bonne avance sur bibi !”

— Y a longtemps que ce type vous a parlé ?

— Oh ! A peine cinq minutes.

— Ah bon ! Et que lui avez-vous répondu ?

— Que Mattheau devait se trouver au début du parcours. Il doit suivre le défilé pour voir à ce que tout se passe bien.

— Parfait ! Merci beaucoup !

— Ce n'est rien ! Au revoir, monsieur Papartchu !

Je décampai et, malgré mon état encore chancelant, je me mis à courir. Mon avance était retardée par la foule massée sur les trottoirs. Des fêtards m'arrêtaient pour me faire goûter à leur alcool, des filles déjà soûles se pendaient à mon cou en me jurant qu'elles m'aimaient, etc.

Il fallait à tout prix que je mette la main sur Mattheau avant les autres, sinon je risquais de perdre tout ce que j'avais acquis au cours de mon enquête : plus de preuves, plus de témoins, plus de coupables. Je ne disposerais que de vagues présomptions, du moins c'est ce que la police me dirait.

Soudain, j'entendis quelqu'un crier : “Dropaôtt !” Je me retournai et j'aperçus Roseline dans les bras d'un type qui m'est plutôt familier : François Grenier qu'il s'appelle et, tout comme Hitchcock dans ses films, il fait de brèves apparitions dans mes aventures. Pourtant, cette fois-là, il exagérait : voilà qu'il me soufflait ma donzelle.

— Hé ! lui lançai-je avec hargne. T'es pas un peu con de me cocufier, comme ça, aux yeux de mes lecteurs ? Et mon image, qu'en fais-tu, imbécile ?

Il ne releva pas l'algarade. Au contraire, après avoir embrassé Roseline, il me jeta narquoisement :

— Pour une fois que je peux me payer un peu de bon temps avec une fille que je t'ai inventée.

Je ne savais pas du tout quoi répondre à une telle boutade. Je serrai les poings, j'exhalai de la vapeur par le nez, la bouche et les oreilles, et je repris ma course, traînant derrière moi pendant un moment le rire sarcastique des deux traîtres.

Plus loin, je rencontrai Papartchu Veilleux, sa femme et leurs deux plus jeunes enfants.

— Salut, Dropaôtt ! me lança Veilleux, épanoui.

— Salut, cousin ! reprit la charmante Noëlla.

Etonnamment, ils avaient l'air d'un couple uni. Qui plus est, le cousin semblait être tout à fait à jeun. Je ne comprenais plus rien à ses mécanismes d'alcoolique. Il parut deviner ma question, car il me dit :

— Moi, j'aime pas boire quand tout le monde est soûl. Je ne me sentirais pas en sécurité, tu comprends. Suppose que je me casserais la gueule. Qui me relèverait ? Non ! Lorsque la foule est en boisson, je préfère être à jeun.

Drôle de mentalité !

— As-tu découvert autre chose à propos de l'histoire d'alcool ? demandai-je.

— Non ! Nous avons abouti à un cul-de-sac. Et toi ?

— Moi ? Je cours après un bonhomme. Si je

le perds de vue, l'enquête tombe à l'eau. C'est pourquoi je vais vous laisser tout de suite.

— Comme tu voudras ! Salut et donne-nous des nouvelles !

Je partis en m'interrogeant sur les motivations profondes de l'alcoolisme.

"Enfin ! me dis-je. C'est pas à moi à répondre à ces questions-là !"

La foule commençait à s'animer. En fait, les chars allégoriques arrivaient, précédés de fanfares et de bouffons à grosse tête qui allaient serrer la main des enfants éblouis.

Un autre organisateur du Carnaval.

— Dites, vous avez vu M. Mattheau ?

— Mattheau ? Il était au point 24 il y a vingt minutes.

— Et où c'est, le "point 24" ?

— Entre le point 23 et le point 25.

Je faillis lui casser la tête.

— Pouvez-vous être plus précis ? insistai-je.

— Eh ben ! le point 25, c'est ici. Le point 24, c'est donc ailleurs.

— Je m'en doute bien !

— Comme il y a deux rues d'intervalle entre chaque point...

— ...le point 24 est à deux rues d'ici ! complétai-je.

J'avais toujours envie de lui rompre le crâne, mais je me retins. Je me remis en marche sans le remercier. Je parvins bientôt au point 24. Il s'agissait d'une unité mobile, soit une camionnette, munie d'un système de communication.

— Oui, monsieur Mattheau était là il y a cinq minutes. Il a communiqué par radio avec des gens. Il a parlé d'un rendez-vous sur les Plaines d'Abraham.

— En plein hiver ? demandai-je, conscient que les parties de fesses ne devaient pas être commodes à réaliser en cette saison.

— C'est ce qu'il a dit ! Je n'en sais pas plus long.

Je saluai le type et je me dirigeai vers les Plaines. Un spectacle étrange m'y attendait. Je m'installai au sommet d'une butte pour mieux voir. D'ailleurs, je n'étais pas seul. La police avait délégué des observateurs, au nombre d'une dizaine environ.

— C'est notre Carnaval à nous, me déclara un sergent de la Sûreté du Québec.

En effet, devant nous se déroulait une nouvelle version de la bataille des Plaines d'Abraham.

Une trentaine de voitures se donnaient la chasse, se doublaient, se faisaient des queues de poisson, se heurtaient, explosaient, etc. Féerie de voir tous ces phares allumés qui se croisaient dans la nuit.

Plus loin, une bataille rangée avait lieu. Une trentaine de tueurs de chaque côté.

Plus loin encore, on se livrait la "petite guerre" à la manière indienne.

Ça valait n'importe quel défilé !

— Vous pouvez me passer vos jumelles ? demandai-je au commandant de la Citadelle qui suivait les manoeuvres avec grand intérêt.

— Bien sûr !

Je cherchai Mattheau. Difficile à découvrir dans cette noirceur. Pourtant, un phare de voiture illumina soudain un arbre où se balançait un pendu : Mattheau !

Je rendis les jumelles au commandant. Je

n'avais plus rien à faire là !

— Vous ne restez pas, monsieur Papartchu ? Le meilleur est encore à venir ! me dit un lieutenant de la police municipale.

— Très peu pour moi ! Au revoir, messieurs !

Dès que j'eus fait quelques pas, le cercle de la conversation se referma. Je n'entendis plus que quelques réflexions qui avaient des résonances étranges.

— Regardez là-bas ! Oui, le petit avec le chapeau noir ! Il vient de faire mouche à trois reprises.

— Et vous avez vu la Pontiac noire ? Elle a tamponné deux Corvettes. Les conducteurs ont été éjectés et la Pontiac les a écrasés.

Une explosion dans la nuit : un combattant en voiture, las de constater les succès de la Pontiac noire, avait tiré son lance-flammes.

Des applaudissements nourris accueillirent la disparition du "Diable nocturne".

Puis, les voix et les coups de feu s'estompèrent. Je retournai rue Saint-Jean pour assister aux derniers instants du défilé. Je vis le char des duchesses sur lequel j'aperçus Carmen 1re qui rayonnait de beauté et qu'un sourire étrange, presque diabolique, rendait plus belle encore.

Enfin, le char du Bonhomme Carnaval. Il semblait heureux. Tandis que la foule en délire et en boisson s'écriait : "SSAALUUUTTT, BBOONNHOOMMEEE !", j'échappai un "tabarnaque" éclatant : le Bonhomme s'était bien vengé de moi et de l'altercation que nous avions failli avoir quelques jours auparavant; autour de son char, il avait exigé qu'on ajoutât des bouffons à grosse tête dont le profil ressemblait à qui ? A MOI !!! (Et cessez de rire, vous autres ! C'est pas drôle du tout !)

Je retournai sur-le-champ prendre ma voiture et je quittai Québec sans attendre. Je ne me risquai même pas à reprendre mes affaires à l'hôtel de Curie. Je me devais de mettre rapidement le plus de distance entre moi et Québec, mon séjour s'y étant avéré décevant au possible !

* * *

En arrivant à la maison, je me rendis compte que Nicole venait tout juste d'arriver. Elle portait encore son petit uniforme d'hôtesse de l'air. Mignon ! J'eus envie de la sauter sur-le-champ, mais je me contins : mon état de frustration était trop grand pour que je me servisse ainsi de ma femme comme objet de défoulement.

J'attendis qu'elle m'eût fait le récit de son séjour à l'étranger, puis que je lui eusse moi-même raconté ma dernière aventure.

Après avoir pris une légère collation, nous prîmes un bain et nous nous mîmes au lit. A ce moment-là, je ne me sentais plus du tout frustré...

* * *

Le lundi matin, je récupérai ma bague chez le brocanteur et je me rendis chez la pauvre Artémise qui accueillit la nouvelle avec un stoïcisme digne de Socrate.

L'aventure était terminée.

Au fait, j'ai oublié de vous dire que les compagnies de fabrication d'alcool ont toutes rappelé les stocks destinés au Carnaval. J'ai entendu dire, entre les branches, qu'ils seraient probablement expédiés ailleurs et que les multinationales ne perdraient pas un sou. Je ne sais pas s'il faut ajouter foi à cette autre révélation, mais il semblerait que le Carnaval de Québec ait servi de "cobaye" à une vaste expérience visant à écouler dans les fêtes populaires du monde entier un flot d'alcool dilué. Semble-t-il que ça ferait l'affaire de bien des gens : les gouvernements qui voient avec un oeil méfiant le peuple se soûler la gueule; les patrons qui perdent déjà beaucoup d'argent à cause de l'alcoolisme de leurs esclaves; la pègre qui participe aux profits...

Ah ! ces multinationales ! Elles en ont des idées à revendre, pas vrai ?

En terminant et au risque de passer pour moralisateur, je vais vous faire quelques citations qui ont un rapport direct avec cette aventure :

La pègre : "L'anarchie ne profite pas à la pègre qui préfère un gouvernement stable — et même "encrassé" — pour se livrer en toute quiétude à ses activités illicites. Il en est d'ailleurs de même pour les milieux d'affaires (de toute façon, dans mon esprit, pègre et milieux d'affaires ont beaucoup de points communs — notamment l'exploitation de l'individu et le vol) " (François Grenier, *Journal*).

Les multinationales : "Déjà une poignée de géants concentrent de par le monde près de 80 p.100 de la production globale de chacun des grands secteurs industriels : 7 dans le pétrole, 15 dans l'industrie pétrochimique, 200 dans les produits chimiques, 10 dans l'électronique de pointe, 8 dans le caoutchouc, 9 dans le papier, 5 dans le verre plat, 9 dans l'automobile, pour ne citer que quelques exemples. *Mais ces mêmes entreprises apparemment indépendantes sont étroitement liées les unes aux autres par des associations, un système bancaire commun, des exploitations de licences, des accords de partage des marchés*" (*Encyclopédie Universalis, Universalia 1974*, page 144). La phrase en italique de la citation précédente rappelle étrangement une description de l'organisation familiale de la Mafia, non ?

Dernière citation : "D'ici quelques années, il faudra instaurer une dictature mondiale (de gauche modérée, de préférence) afin de contrer la dictature et le monopole économiques des multinationales. *1984* de George Orwell n'est peut-être pas un roman de "science-fiction" !" (François Grenier, *Journal*).

Méditez là-dessus, les copains !

[illegible] l'Chine, l[illegible]
[illegible] quatre petits [illegible]
produits économiques [illegible]
[illegible]
[illegible]
[illegible]
[illegible]
[illegible]
[illegible]
[illegible]
[illegible]
[illegible]
[illegible]
[illegible]
[illegible]

De [illegible] quelques [illegible]
[illegible]
[illegible]
[illegible]
[illegible]
[illegible]
[illegible]

APRES-PROPOS

SAVEZ-VOUS RIRE ?

Ce psychotest tout à fait stupide vous est gracieusement offert par le magazine *Kétaine*, une revue tarla, écrite par des tarlas pour des tarlas !

1. Riez-vous davantage lorsque vous êtes au lit, dans le bain ou dans l'autobus ?

   — Oui.
   — Non.

2. Avez-vous ri de l'absurdité des réponses à la question 1 ?

   — Au lit.
   — Dans le bain.
   — Dans l'autobus.

3. Si vous avez ri de nouveau de l'absurdité des réponses à la deuxième question, vous considérez-vous comme...

   — Un nono.
   — Un tarla.
   — Un épais.
   — Un crétin.

4. Si vous vous considérez comme l'une des réponses précédentes, diriez-vous que vous avez plus mal aux dents *avant* ou *après* être allé chez le dentiste ?

— Je ris toujours.
— J'aime beaucoup rire en pleurant.
— C'est quand je pleure que j'ai le plus envie de rire.

5. Parmi les comiques suivants, dites celui qui vous a le plus fait rire.

— Adolf Hitler.
— Le général de Gaulle.
— Mao Tsê-Tung.

6. Croyez-vous qu'il existe un rire après la mort ?

— Je ne sais pas, car je ne suis encore jamais décédé.
— J'aime regarder un strip-tease en mangeant une pizza *all-dressed*.
— Non, car la mort, c'est pas drôle !

7. Avez-vous déjà ri à un enterrement ?

— Non, mais je compte bien rire au mien.
— Non, c'est péché mortel.
— Oui, je cours les enterrements pour me payer un peu de bon temps.

8. Qui, d'après vous, est l'auteur le plus comique du monde ?

— Papartchu Dropaôtt.
— Papartchu Dropaôtt.
— Papartchu Dropaôtt.

9. Si vous avez répondu "Papartchu Dropaôtt" à la question précédente, qui placeriez-vous en deuxième place ?

— Il n'y en a pas d'autre.
— Papartchu Dropaôtt est le seul.
— Personne ne lui arrive à la cheville.

10. Si vous avez répondu à la question précédente, croyez-vous que Papartchu Dropaôtt pourrait être accusé de monopole ?

— C'est quoi, un monopole ?
— J'aime beaucoup jouer au "monopoly".
— Il faudrait penser à terminer ce test-là.

11. Croyez-vous que onze questions suffisent à établir un quotient humoristique ?

— Une seule question aurait suffi.
— Aimes-tu la vie comme moi ?
— Après moi, le déluge !

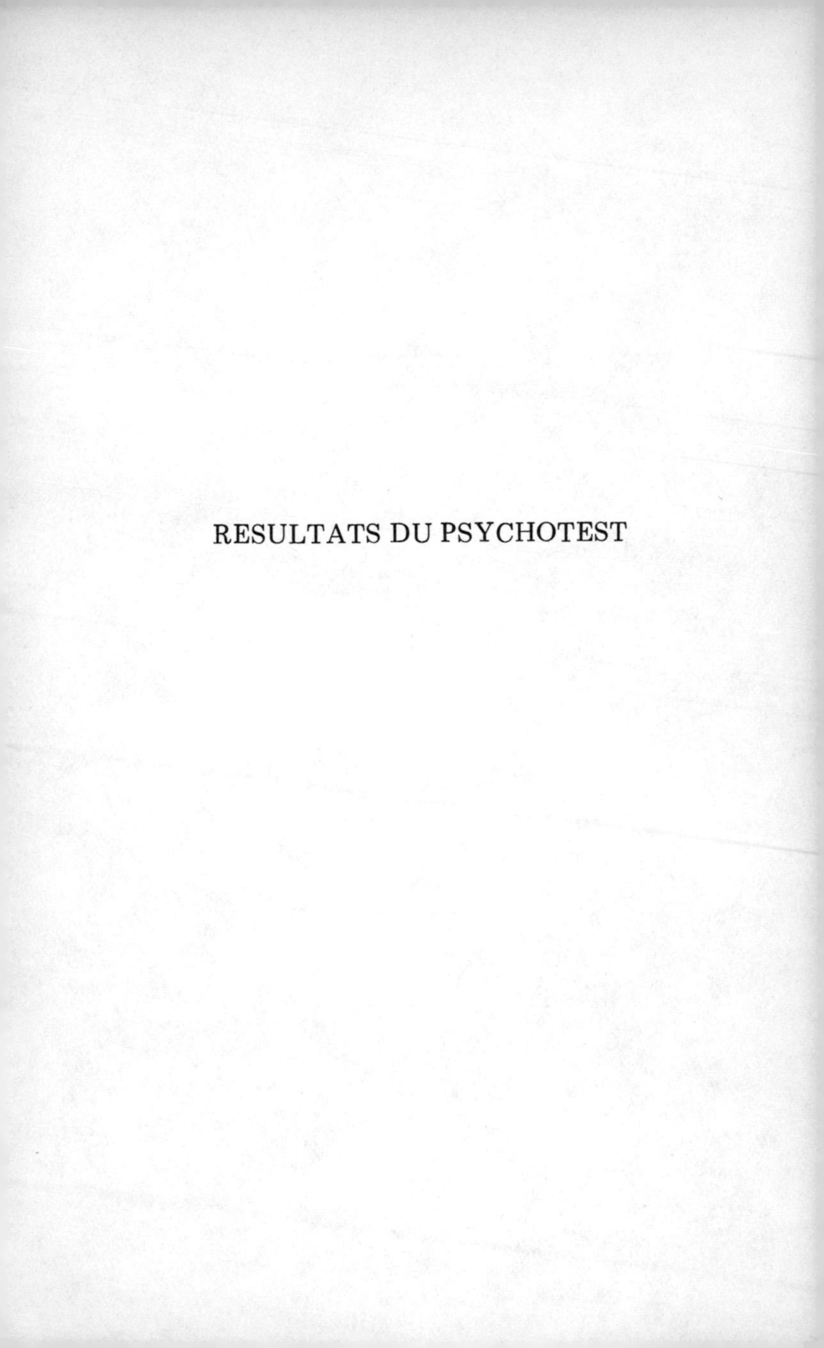

RESULTATS DU PSYCHOTEST

1. Si vous avez répondu ne fût-ce qu'à une seule des questions posées, c'est que vous êtes mûr pour l'asile d'aliénés ! Vous êtes un instable affectif, un oral primaire à tendances psychotiques, un être dérangé, déséquilibré et insane. En fait, vous possédez tout ce qu'il faut pour écrire des romans policiers humoristiques !

2. Si vous n'avez pas répondu aux questions posées, mais que vous y avez été fortement tenté, dites-vous bien que "c'est l'intention qui compte" et que, si vous ne changez pas, vous passerez votre vie à hésiter, à esquiver les décisions. Vous êtes un froussard, vous êtes esclave des qu'en-dira-t-on (laveur) et de ce que les autres pensent de vous. Vous craignez tant de vous distinguer, d'être original, que vous faites toujours en sorte de vous perdre dans la foule. Vous avez le tempérament du mouton. D'ailleurs, vous n'avez acheté ce bouquin que parce que tout le monde

l'achète. Vous n'êtes donc qu'un suiveux mais, au fond, si y avait pas de poissons comme vous, ça ferait longtemps que j'aurais déclaré faillite.

3. Si vous n'avez pas répondu aux questions posées parce que vous saviez que les résultats du test étaient truqués, c'est que vous êtes un véritable génie, un cerveau supérieur, un type extraordinaire que j'aimerais bien rencontrer. (Après avoir lu ces éloges, tous ceux qui se trouvaient dans les catégories un et deux se sont dit : "Je crois que je m'apparente plutôt au numéro trois !" Bande d'hypocrites, allez ! Sachez pourtant que j'avais pas terminé la description du numéro trois !) Le type numéro trois est aussi un méfiant qui ne sera jamais heureux dans la vie, car il ne fait pas confiance aux gens. Il se sent toujours roulé, trahi, joué, berné, etc. Il risque fort de se retrouver lui aussi à l'asile d'aliénés, victime d'une crise de paranoïa aiguë.

Tout ça pour vous dire enfin, les potes, que les psychotests, c'est rien qu'un tas de conneries qui ne servent qu'à rassurer les gens. De toute façon, vous ne leur faites dire que ce que vous voulez bien entendre.

Sur ce, je vous donne rendez-vous à ma prochaine aventure ! Souriez, je vous aime !

TABLE DES MATIERES

Achevé d'imprimer
en février mil neuf cent soixante-dix-huit
sur les presses de l'Imprimerie Gagné Ltée
Saint-Justin - Montréal.
Imprimé au Canada